QUE SAIS-JE ?

D0985547

Histoire du protestantisme

JEAN BAUBÉROT

Président honoraire de la section des Sciences religieuses
de l'Ecole pratique des Hautes Etudes
Directeur du Groupe de Sociologie des Religions et de la Laïcité

Cinquième édition

29ᵉ mille

DU MÊME AUTEUR

Le tort d'exister, Bordeaux, Ducros, 1970.
Histoire des protestants en France (collab.), Toulouse, Privat, 1977.
Un christianisme profane ?, Paris, PUF, 1978.
La marche et l'horizon, Paris, Le Cerf, 1979.
Vers l'unité pour quel témoignage ? La restauration de l'unité réformée (1933-1938) (ed)., Paris, Les Bergers et les Mages, 1982.
Le pouvoir de contester, Genève, Labor et Fides, 1983.
Les nouveaux clercs (collab.), Genève, Labor et Fides, 1985.
Le retour des huguenots. La vitalité protestante XIXᵉ-XXᵉ siècle, Paris-Genève, Le Cerf - Labor et Fides, 1985.
Le protestantisme doit-il mourir ?, Paris, Le Seuil, 1988.
La laïcité, quel héritage depuis 1789 ?, Genève, Labor et Fides, 1990.
Vers un nouveau pacte laïque, Paris, Le Seuil, 1990.
Pluralisme et minorités religieuses (ed.), Louvain-Paris, Peeters, 1991.
Religions et laïcité dans l'Europe des douze (éd.), Paris, Syros, 1994.
La morale laïque contre l'ordre moral, Paris, Le Seuil, 1997.

ISBN 2 13 045857 2

Dépôt légal — 1ʳᵉ édition : 1987
5ᵉ édition : 1998, novembre

© Presses Universitaires de France, 1987
108, boulevard Saint-Germain, 75006 Paris

Chapitre Premier

RÉFORME ET PROTESTANTISME

En 1520, trois ans après avoir rédigé ses célèbres 95 thèses contre la « vertu des indulgences » (1), Martin Luther (1483-1546) est excommunié par le pape. Il brûle la bulle d'excommunication et transforme une contestation menée à l'intérieur de l'Eglise catholique en protestation qui va agir désormais en dehors d'elle. Due aux remises en cause effectuées par l'humanisme (à sa redécouverte de l'Ecriture notamment) et à la conception du salut propre au moine augustinien, la rupture constitue un élément essentiel : avec elle un mouvement de réforme va devenir la Réforme.

Neuf ans plus tard, à la seconde diète de Spire (avril 1529), cinq princes et les représentants de quatorze villes libres, minoritaires, élèvent une protestation contre les décisions prises qui portent atteinte à la Réforme en plein développement : « Nous protestons devant Dieu..., ainsi que devant tous les hommes... que nous ne consentons ni n'adhérons... au décret proposé dans toutes les choses qui sont contraires à Dieu, à sa Sainte Parole, à notre bonne conscience, au salut de nos âmes, et au dernier décret (de la première diète de) Spire » (2).

(1) Vendues pour favoriser la reconstruction de la basilique Saint-Pierre de Rome, les indulgences étaient censées permettre la remise de peine de certains péchés. Les « 95 thèses » de Luther ont été rapidement diffusées à travers l'Allemagne. Rome chercha à obtenir une rétractation. Mais, lors des débats, Luther se radicalise et en vient à affirmer que ni le pape ni le concile ne sont infaillibles. Leurs décisions doivent être soumises à l'autorité de la Bible. Jusqu'en 1564 nous renvoyons, pour un exposé plus systématique des faits, des doctrines et des biographies des Réformateurs, au « Que sais-je ? », n° 1376, *La Réforme (1517-1564)* de Richard Stauffer.

(2) La première diète de Spire (1526) laissait temporairement aux princes et aux villes libres la liberté de religion.

Cette protestation amène la création, à la diète impériale, de deux partis confessionnels. Les minoritaires — les « protestants » — sont menacés d'être mis au ban de l'Empire et de faire l'objet d'une expédition militaire. Ils cherchent une alliance avec certains cantons suisses également engagés dans la Réforme. Malgré les réserves de Luther peu convaincu de la légitimité d'une résistance armée et assez hostile à une entente avec le Réformateur de Zurich Ulric Zwingli (1484-1531), un colloque théologique se tient à Marbourg (octobre 1529). L'accord doctrinal doit permettre la constitution d'une coalition capable de résister aux puissances catholiques.

Le colloque de Marbourg se termine par un texte comprenant 15 articles. L'entente est réalisée sur les 14 premiers. Le quinzième concerne la Cène. Il y a consensus pour la communion sous les deux espèces et pour le rejet de la transsubstantiation (doctrine selon laquelle la consécration du pain et du vin produit une conversion de leurs substances en substances du corps et du sang du Christ). Tout en pensant unanimement que les espèces du pain et du vin de la Cène restent matériellement du pain et du vin, les participants divergent sur la façon de concevoir la présence du Christ. Luther et les Saxons estiment que, lors de la Cène, le pain et le vin sont, à la fois, pain et vin et corps et sang du Christ (doctrine de la consubstantiation). Pour Zwingli et les Suisses, la formule de Jésus : « Ceci est mon corps » veut dire : « Ceci signifie mon corps. » La Cène est un mémorial de la mort du Christ et un symbole de sa présence aujourd'hui (doctrine sacramentaire). Les Strasbourgeois, avec Martin Bucer (1491-1551), n'arrivent pas à créer un terrain d'accord (3). C'est l'échec qui ne va pas amener pour autant la disparition ou le déclin du protestantisme.

Le terme de « protestantisme » est donc né de façon circonstancielle. Souvent des protestants se montrent un peu gênés de la composante politique alors présente. Ils interprètent le terme de « protestant » dans un sens purement religieux : la protestation contre certaines coutumes, traditions ou structures de l'Eglise catholique romaine au nom du droit que

_____

(3) La position de Calvin représente un point de vue intermédiaire entre ceux de Luther et Zwingli : le pain et le vin restant ce qu'ils sont, le Saint-Esprit rend le Christ véritablement présent dans la Cène.

possède chaque chrétien de répondre librement aux exigences de la Parole de Dieu telle qu'il la reçoit par la foi et le témoignage intérieur du Saint-Esprit.

Ce fondement théologique est bien sûr essentiel, permanent. C'est bien pour une raison de dissidence religieuse que des princes et des représentants de villes libres ont été amenés à élever une protestation, écho de la protestation originelle de Luther. Mais, réalité incarnée, le protestantisme est, dès le départ, une réalité multiforme. Et sa survie, du point de vue de l'historien, dépendait en partie de l'appui que lui donneraient des détenteurs de pouvoirs politiques.

Pouvons-nous dire alors qu'il s'est effectué un mélange entre religion et politique, dû aux conditions propres de cette époque ? Bien sûr à condition d'ajouter que, à la différence de la situation moderne, la consistance sociale du religieux — plus précisément du théologique — est frappante. En fait, lors de la naissance du protestantisme, nous constatons un lien très fort entre religion et politique (des autorités politiques prennent le parti de la Réforme dans le mouvement même où celle-ci devient protestantisme), et une grande autonomie des deux domaines : au colloque de Marbourg des théologiens débattent de questions strictement théologiques, même si leur débat comporte des conséquences politiques.

Lors de la naissance du protestantisme nous pouvons déjà constater sa pluralité : plusieurs Réformateurs existent, plusieurs convictions s'affrontent. Il existe des vues communes sur les fondements de la Réforme mais une seule divergence suffit pour ne pas parvenir à l'unité visible. Cette pluralité peut nuire à l'efficacité. Elle apparaît irréductible — des raisons extérieures, comme l'opportunité politique, ne peuvent la réduire — et ne conduit pas à un effondrement. Quant à Luther — le père fondateur de la Réforme —, il n'en est pas le chef incontesté, mais un Réformateur parmi d'autres.

Les événements de 1529 ne constituent pas une date charnière où la Réforme deviendrait protestantisme. La Réforme calviniste, par exemple, est encore à venir. Mais ils symbolisent le mouvement par lequel la Réforme se transforme progressivement en protestantisme, l'événement en institutions, la rupture en organisations, la protestation en pouvoirs, l'hérésie en nouvelles orthodoxies. Dans ce passage quelque chose d'essentiel se trouve peut-être perdu ou, en tout cas, assoupi. Et l'histoire du protestantisme sera jalonnée de « retours à la Réforme », de réformes nouvelles : les dissidences, les Réveils, voire les renouveaux théologiques. Il s'agira de continuer les mises en question de la Réforme ou même de retrouver sa pureté et son souffle en deçà des « trahisons » et de la « tiédeur » du protestantisme installé, établi.

Pourtant cet « établissement » du protestantisme (selon l'heureuse formule de l'historien Emile-G. Léonard) qui a suivi la Réforme est paradoxalement aussi le père de la Réforme. Les siècles qui précèdent le XVIᵉ siècle ont également vu naître des déviants. Leur rupture n'a pas réussi sur une grande échelle ; leur « hérésie » vaincue n'a pas été suivie d'un « établissement » : ils ne sont donc pas devenus des Réformateurs contrairement à Luther, Calvin, Zwingli, Bucer et d'autres. Le protestantisme n'a pas réalisé toutes les espérances de la Réforme, c'est cependant grâce à lui que la Réforme a réellement existé. En même temps il ne serait rien sans son fondement : la Réforme. Chacun est donc indissociable de l'autre et le mouvement qui va de l'un à l'autre est une constante de l'histoire de cette confession.

Les trois caractéristiques de la Réforme

Le dialogue fondateur de la Réforme protestante a lieu à la diète de Worms présidée en avril 1521 par l'empereur Charles Quint. Hérétique, excommunié, Martin Luther est mis en demeure de se rétracter. Il déclare : « Je n'ajoute foi ni au pape, ni aux conciles seuls... Je suis lié par les textes scripturaires que j'ai cités et ma conscience est captive des paroles de Dieu. Je ne puis ni ne veux me rétracter en rien, car il n'est ni sûr ni honnête d'agir contre sa propre conscience... Je ne puis autrement, que Dieu me soit en aide. » A ces propos, l'official de l'évêque de Trèves réplique : « Abandonne ta conscience, Frère Martin. La seule chose qui soit sans danger consiste à se soumettre à l'autorité établie. » Dialogue significatif et une boutade célèbre de Boileau dira que « tout protestant est pape, Bible à la main ».

La mise en cause radicale de l'autorité ecclésiastique s'effectue au nom de trois folies spirituelles : « Dieu seul », « l'Ecriture seule », « la grâce seule ». Affirmations théologiques fondamentales de la Réforme, elles constituent en permanence dans l'histoire du protestantisme des éléments prédicatifs essentiels, créateurs de tensions avec les contraintes de la vie de chaque jour, de l'action historique, et rappels d'une « vocation particulière ». Chaque « seul » est en lui-même lourd de potentialités de ruptures : ruptures permanentes, ruptures nouvelles en fonction de l'environnement historique.

Dieu seul : première affirmation qui, d'une certaine manière appelle les deux autres. Dieu se fait connaître à chacun par l'Ecriture seule et ne délègue sa justice — sa grâce — à aucune institution. Dieu seul, sans aucun médiateur que son Fils Jésus-Christ. Cette affirmation d'une absolue transcendance rompt avec toute une conception de l'Eglise médiatrice entre Dieu et les êtres humains.

Dépouillée de tout aspect médiateur, l'Eglise n'a plus l'autorité sacrale, l'infaillibilité nécessaire pour pouvoir rester une. Il existe une affinité entre l'affirmation du « Dieu seul » et la pluralité des Eglises protestantes, l'impossibilité de constituer une « vraie Eglise » face à la catholique romaine et la distinction opérée entre l' « Eglise invisible » qui est au secret de Dieu et l' « Eglise visible » qui est au pouvoir des hommes.

Quelle audace dans cette relativisation de l'Eglise par respect du mystère de Dieu ! Plusieurs siècles durant, la polémique catholique va insister sur l'orgueil spirituel des Réformateurs et, à leur suite, des protestants, prétendant au face-à-face direct avec Dieu. Ni Luther, ni aucun autre, remarquera-t-elle, n'a pu se prévaloir d'une mission propre ou d'une vocation extraordinaire. Cette polémique met l'accent sur un aspect important : les Réformateurs ne sont pas des « chefs charismatiques » au sens où l'entendait Max Weber (même s'ils possèdent certains traits qui peuvent les en rapprocher) : ils ne prétendent pas avoir été l'objet, comme les prophètes de l'Ancien Testament par exemple, d'une vocation spéciale, d'une révélation particulière, ni d'être porteurs d'une grâce extraordinaire. Non, c'est bien en tant que simples chrétiens — Calvin n'est même pas prêtre ou moine — qu'ils se dressent contre papes et conciles. Cette résistance est menée au nom de « Dieu seul », mais en fait, disent les polémistes catholiques, Réformateurs et protestants se mettent à la place de Dieu, ils usurpent la Déité.

Débat fondamental. Le Luther de 1517 — celui du refus des indulgences — croit à l'infaillibilité de l'Eglise s'il doute de celle du pape, se situant ainsi dans un courant conciliaire dont le xvᵉ siècle avait montré l'importance. Le Luther de 1520-1521 — celui de la diète de Worms — et l'ensemble du protestantisme rompent avec cette croyance. L'élaboration, dès 1520, de la doctrine du sacerdoce universel est la suite logique d'une telle rupture. Chacun est appelé à avoir les pouvoirs spirituels du clerc. Avec la Réforme, s'étonne Florimond de Raemond (historien catholique) dans son *Histoire de l'hérésie* (1605), « même ceux qui n'avaient jamais manié que la charrue et bêché la terre, devinrent en un moment excellents théologiens » et il poursuit, non sans ironie : « Les paysans les plus rudes et les plus abêtis furent faits écoliers, bacheliers et docteurs tout ensemble. » Si chacun, pour rendre gloire à Dieu seul, est prompt à résister à une autorité qui lui semble se substituer à Dieu, quelle garantie peut-il avoir qu'il ne se met pas, dans sa révolte, à la place de Dieu lui-même ?

L'Ecriture seule : cette affirmation est-elle en mesure d'apporter la garantie nécessaire ? La déclaration de Luther à la diète de Worms n'est pas la revendication des droits de la conscience mais l'affirmation de la liberté, à l'égard des autorités humaines, de la « conscience captive des paroles de Dieu ». Les Réformateurs estiment qu'il existe une intelligibilité de l'Ecriture qui la rend accessible au lecteur ayant la foi.

L'ensemble de l'humanisme chrétien insiste alors sur l'autorité souveraine de l'Ecriture et la Réforme se situe dans son sillage. L'Eglise radicalement relativisée par le « Dieu seul », reçoit là un fondement solide : sa mission consiste à prêcher la Parole (et à administrer les sacrements, signes de la grâce). Elle impulse une piété collective et familiale centrée autour de la Bible. L'Eglise, en protestantisme, est donc une réalité seconde, qui ne saurait jamais se substituer au dialogue originel Dieu-être humain mais apparaît cependant nécessaire à la vie chrétienne. Ce sera, au XIXe par exemple, la grande divergence entre des chrétiens spiritualistes, partisans d'un pur individualisme religieux et le protestantisme qui, pas plus à cette époque-là qu'à d'autres, ne peut renoncer à être structuré en Eglises.

Mais l'Eglise doit sans cesse admettre sa propre limite car « l'Ecriture seule » renvoie au « Dieu seul » et non à elle. L'article 4 de la *Confession de foi de La Rochelle* (1571), le grand document fondateur des Eglises réformées de France, l'indique clairement : l'Ecriture est « règle très certaine de notre foi, non pas tant par le commun accord et le consentement de l'Eglise que par le témoignage et la persuasion intérieure du Saint-Esprit ». La tradition ecclésiastique est donc soumise constamment au critère de sa conformité aux textes bibliques.

Si l'autorité de l'Ecriture peut s'opposer — comme chez Luther — à l'Eglise visible, c'est aussi parce que aucune soumission à l'Ecriture ne s'effectue sans une herméneutique, un traitement de l'Ecriture. Problème redoutable ! Au cours des débats sur la doctrine de la justification certains théologiens catholiques font remarquer à Luther que l'affirmation de la « grâce seule » n'est pas forcément fidèle à l'Ecriture puisqu'on ne trouve jamais explicitement dans un texte biblique la mention du « seul ». Qu'importe répond le Réformateur, selon moi le thème de la « grâce seule » parcourt l'ensemble de la Bible. On sait que Calvin refusera de soumettre systématiquement, à la manière de Luther, l'Ecriture à une interprétation christologique. Il voudra s'en tenir à un biblicisme plus strict et pourtant son herméneutique sera, sur bien des points, novatrice par rapport à celle du Moyen Age.

Loin d'amener une sécurité spirituelle, « l'Ecriture seule » est plutôt une folie spirituelle qui redouble celle du « Dieu seul ». Des polémistes catholiques ne se priveront pas d'attaquer cette « vanterie de l'Ecriture » protestante où les adeptes de la Réforme, selon eux, se serviraient de la Bible pour tromper les autres et les faire « sacrifier à l'idole de leur profane doctrine ». Le protestant se réclamerait de l'Ecriture comme le faux monnayeur paie en fausse monnaie. L'examen particulier de la Bible sera aussi accusé d'être un ferment de dissolution sociale : en son nom la brebis peut se révolter contre son pasteur, le fils contre son père, la femme contre son mari, le valet contre son maître et le sujet contre son prince. Mais si le mot d'ordre de la Réforme « l'Ecriture seule » a pu être accusé, des siècles durant, de miner les fondements de l'obéissance, on lui a également reproché d'être créateur d'inégalité. Examiner personnellement l'Ecriture et juger de la pertinence des dogmes à partir d'un tel examen, seuls des chrétiens instruits, savants pourraient le faire. Le protestantisme serait donc hors de portée des humbles auxquels le salut est, pourtant,. aussi promis. L'Eglise médiatrice est mère de tous ses enfants ; l'Eglise communauté de chrétiens fait apparaître les différences. Ce n'est pas seulement dans le domaine socio-économique que le protestantisme se refuse à accorder une valeur religieuse à la pauvreté. C'est aussi dans le domaine socioculturel. La culture catholique favorise l'égalité dans la soumission (mais l'égalité n'implique-t-elle pas toujours une instance supérieure qui égalise ?). La culture protestante favorisera, elle, la mobilité (mobilité socioculturelle, mobilité sociale).

La grâce seule : si l'Eglise n'est pas médiation vers le Dieu transcendant, si sa tradition ne peut compléter l'Ecriture, de même elle ne possède pas une délégation quelconque de la justice — le courroux et la grâce — de Dieu. A la croyance dans la possibilité, pour l'Eglise, d'obtenir un allégement des peines et pour le chrétien d'acquérir, avec l'aide de Dieu, certains mérites qui le rendent « juste », Luther oppose l'affirmation du salut inconditionnel par la grâce divine. La tare indélébile de l'être humain le rend toujours indigne de l'amour de Dieu. Pourtant cet amour incompréhensible le sauve sans le moindre partage des tâches entre les deux partenaires. L'acceptation des « indulgences » et, plus fondamentalement, tout aspect rédempteur concédé aux œuvres humaines seraient la négation, selon la Réforme, du don de Dieu. La foi seule peut le recevoir et admettre que Dieu seul est juste. Des trois expressions de Luther explicitant le thème de la « seule grâce » : « la justice du Christ », « la justice passive » (la sanctification ne précède pas mais suit la justification) et « la justification par la foi », c'est cette dernière peut-être parce qu'elle s'appuie directement sur un passage de l'Epître de Paul aux Romains qui sera finalement employée.

Dès 1520, dans le *Traité de la liberté chrétienne*, Luther montre la conséquence paradoxale qu'il tire de sa doctrine de la justification : « Le chrétien est l'homme le plus libre ; maître de toutes choses, il n'est assujetti à personne. Le chrétien est en toute chose le plus serviable des serviteurs ; il est assujetti à tous ».

A ce paradoxe de la liberté chrétienne selon Luther répondent, assez logiquement, les accusations elles-mêmes paradoxales portées, au cours des siècles, par la polémique catholique. D'une part le protestantisme ôte le frein moral constitué par la crainte de se perdre, de se damner. La Réforme aurait progressé en flattant les sens ; le protestant serait un jouisseur opportuniste et sensuel : ripailles, beuveries et plaisirs sexuels, tout lui serait permis. Et par ailleurs le protestantisme, notamment sous sa forme calviniste, imposerait à ses adeptes une (auto)discipline tatillonne, desséchante. Le protestant serait un être grave, austère, assez souvent un peu triste, peu sensible aux joies terrestres, guère enclin à s'adonner aux plaisirs de la fête.

Nos remarques montrent quelle perspective est la nôtre : il ne s'agit pas d'intervenir dans la discussion théologique sur la validité respective des doctrines mais d'indiquer les effets et les difficultés amenés par les grandes affirmations de la Réforme. Le problème historique du protestantisme va consister à faire face aux conséquences, multiples et parfois imprévues, de la radicalité de la Réforme dans l'inextricable complexité de l'existence humaine et sociale. Problème perceptible dès les premiers succès et, donc, que les Réformateurs ont affronté.

Ainsi Luther déclare que tout chrétien baptisé « peut se vanter d'être déjà consacré prêtre, évêque et pape, encore qu'il ne convienne pas à tout un chacun d'exercer semblable fonction ». Et voilà formulée une tension propre au protestantisme entre la logique du sacerdoce universel et les nécessités du maintien d'un certain ordre ecclésiastique. Les chrétiens qui possèdent du pouvoir dans la société civile peuvent, dans le cadre d'une telle tension, se retrouver investis de la mission de mener à bien (puis de gérer) la Réforme de l'Eglise sur leur territoire. C'est l'orientation que prendront des Eglises luthériennes notamment. Une organisation plus spécifique à l'Eglise peut être élaborée. Tel est le sens, chez Calvin, de la « doctrine des ministères » (au nombre de quatre : pasteur, docteur, ancien, diacre).

Toute hiérarchisation n'est donc pas abolie. Mais l'autorité provient de la fonction et non d'une différence de sacralité entre clercs et laïques. En dernière instance tout dépend de la conviction de chacun que cette autorité est fidèle à Dieu et à sa parole. L'ordre ecclésiastique est ainsi fragilisé. Mouvements dissidents internes du protestantisme et Réveils se chargeront de rappeler la vocation de chaque chrétien à la prêtrise : de l'aile radicale de la Réforme du XVIe siècle aux prédicateurs des « Eglises électroniques » aujourd'hui, il est constant et logique que, dans le protestantisme, certains se proclament eux-mêmes « pasteurs » et trouvent une communauté qui reconnaisse leur ministère. Il est également logique, puisque le clerc n'est pas revêtu d'une sacralité particulière, que l'évolution de la conception du rôle social des femmes aidant, la majorité des Eglises protestantes consacrent des femmes-pasteurs.

La difficulté d'être protestant provient notamment de l'impossibilité d'exprimer sa piété par des œuvres de dévotion, telles que les pèlerinages par exemple. La désacralisation des objets de culte sera parfois, également, délicate à assumer et, à partir d'une rupture fondamentale commune, des différences d'appréciation se feront jour. Luthériens et anglicans auront tendance à maintenir l'essentiel du cadre architectural et liturgique dans lequel la Parole de Dieu est prêchée. Ils lui confèrent, au moins, une valeur pédagogique. Le culte réformé ou puritain sera plus dépouillé dans ses cérémonies comme dans le décor de ses temples. Mais toute forme de représentation symbolique ne sera pas bannie pour autant. Ainsi aux Pays-Bas si les objets de culte pouvant prêter à la renaissance de pratiques dites « superstitieuses » furent enlevés (statues des saints, autels à rétables remplacés par une simple table), le reste du mobilier demeura intact. Plus encore : un nouveau langage textuel envahit progressivement les temples : tableaux exposant les dix commandements, d'autres textes bibliques, des articles de foi, des exhortations morales, des ordonnances ecclésiastiques, des listes de pasteurs, des panneaux commémoratifs, etc. La décoration des temples apparut un instrument d'éducation de la foi et d'alphabétisation.

En définitive il est possible d'affirmer, avec Max Weber, que le protestantisme a joué un rôle très actif dans le « désenchantement du monde », dans le processus de sécularisation de l'Occident. Au XVIᵉ siècle le catholique vivait dans un univers où de nombreux canaux servaient de médiateurs au sacré — les sept sacrements de l'Eglise (4), l'intercession des saints, l'irruption fréquente du surnaturel dans la vie courante. En voulant dépouiller le monde de tout caractère divin pour souligner la majesté de Dieu, en insistant sur la déchéance de l'être humain pour mieux montrer l'intervention souveraine de la grâce, le protestantisme a réduit « la relation de l'homme au sacré à ce lien... ténu qu'il appela la parole de Dieu ». Ce faisant il « a éliminé la plupart (des) médiations (sacrales). Il a brisé l'enchaînement, détruit la continuité, coupé le cordon ombilical entre le ciel et la terre et il a ainsi renvoyé l'homme à lui-même d'une façon radicale sans précédent dans l'histoire » (Peter Berger).

Pour un protestant militant ce « lien... ténu... (de) la parole de Dieu » doit informer la totalité de la vie humaine. La très grande proximité du protestantisme et de la sécularisation ne doit pas, non plus, faire oublier le malentendu qui existe entre eux. Le protestantisme a constitué historiquement un élément fondamental dans la construction de la modernité, quelle que puisse être l'importance des autres facteurs. Mais cette modernité une fois instituée lui posera un certain nombre de problèmes parce qu'elle aura tendance à rejeter Dieu en marge de la vie sociale.

---

(4) Le protestantisme estime que deux sacrements — la Cène et le Baptême — ont seuls un fondement biblique. Et la signification de ces deux sacrements est modifiée (rejet de la transsubstantiation, refus de croire à l'impérieuse nécessité du baptême pour être sauvé).

Chapitre II

LA FORMATION
DU PROTESTANTISME

En 1521 Luther est mis au ban de l'Empire, n'importe qui peut le tuer. Un tiers de siècle plus tard, en 1555, lors de la paix d'Augsbourg, près des deux tiers des Allemands et l'ensemble des Scandinaves sont devenus des protestants luthériens. Sous sa forme zwinglienne et surtout calviniste, la Réforme progresse en France, aux Pays-Bas, en Suisse. En Angleterre une tentative de restauration du catholicisme va échouer. Pour la première fois une hérésie n'est pas étouffée. Elle réussit. La Réforme, révolution religieuse, doit instaurer, en raison même de ses succès, un nouvel ordre — l'ordre protestant — dans les territoires où elle a gagné. Elle doit assumer les contraintes de l'héritage catholique — l'état spirituel des populations, notamment, amènera les Réformateurs à modifier certains de leurs projets — faire face à ses propres divisions et transformer sa protestation en système d'emprise (1).

(1) Cf. n. 1, p. 3.

Le luthéranisme

Après la diète de Worms, Luther est caché au château de la Wartbourg par l'Electeur de Saxe. Mais à Wittenberg même la Réforme prend une tournure très radicale et illuministe sous l'impulsion d'Andreas Carlstadt. Devant le danger de débordement, Luther quitte son abri à ses risques et périls et en une semaine de prédications (9 au 16 mars 1522), il reprend la tête du mouvement qu'il a lancé.

La Réforme doit-elle se lier à des rébellions politiques ? Luther estime que non. Il refuse de cautionner la « révolte des chevaliers » (= petite noblesse) en 1522 et en 1525 il prend une distance de plus en plus grande avec l'important mouvement de revendications paysannes, qui, d'abord pacifique, est devenu une jacquerie armée. Après avoir, dans une *Exhortation à la paix*, rappelé aux princes le devoir de justice et tenté de détourner les paysans du recours à la force, le Réformateur rédige un libelle d'une grande violence *Contre les hordes meurtrières et pillardes des paysans*. Battus le 15 mai 1525 à Frankenhausen les paysans sont l'objet d'une répression cruelle. Leur chef Thomas Muntzer (1489-1525), partisan d'une Réforme radicale, est décapité.

En 1534-1535 un courant anabaptiste de cette aile radicale de la Réforme va instaurer une théocratie dans la ville de Münster, la « Sion Sainte ». Là seront réalisées dans une atmosphère mystique, sous l'impulsion de Jean de Leyde, la mise en commun des biens, l'instauration de la polygamie et la destruction de tous les ouvrages excepté la Bible. La prise de la ville amènera une répression aussi terrible que celle de 1525 contre les paysans.

Les théologies du politique élaborées par Müntzer et par Luther s'opposent, la première est révolutionnaire et théocratique, la seconde conservatrice et laïcisatrice.

Pour Müntzer la soumission du peuple à l'autorité est subordonnée à l'exécution, par cette dernière, de sa mission : châtier les « méchants », c'est-à-dire les « impies », les « sans-Dieu », ceux qui « entravent l'Evangile ». Dans le cas contraire c'est la communauté des « élus », qui ont reçu la révélation actuelle de Dieu par l'action de l'Esprit-Saint qui prend le pouvoir de châtier elle-même les « impies ». Les « élus » — qui forment, en quelque sorte, l'avant-garde spirituelle du peuple — usent du glaive en vue de la restitution de l'Eglise primitive. Cette restitution va être un événement eschatologique : le retour du Christ est proche.

Contrairement à la conception médiévale où le pape déléguait le pouvoir temporel aux princes (normalement pour qu'ils l'utilisent au service de l'Eglise), Luther, avant même 1525, distingue « deux règnes », le spirituel et le temporel, et donne une grande autonomie au second (dans une tension eschatologique, cependant, où ce monde n'est pas appelé à durer éternellement).

La théologie des deux règnes constitue donc un cadre idéel permettant de valoriser l'émancipation de l'Etat face à la chrétienté médiévale. Institué directement par Dieu à cause du péché, le gouvernement temporel est une expression de son amour. Il existe pour maintenir un minimum d'ordre public et assurer ainsi la conservation du monde. L'absence de délégation de pouvoir de l'Eglise n'est pas sans conséquence pratique : il va y avoir, en milieu luthérien, un appel aux princes pour former des juristes hors de la tutelle du droit canonique. On retrouve bien là l'anti-cléricalisme de la Réforme.

A son origine la théologie des deux règnes marque aussi les limites de l'activité et du pouvoir de l'Etat. En 1523 (*Traité de l'autorité temporelle*), Luther indique clairement que cette autorité concerne le terrestre, les relations extérieures (= sociales, publiques) des humains entre eux. Pour ce qui est constitutif de l'être chrétien, la Parole de Dieu est la source directe de la foi sans contrainte extérieure, institution ou loi.

Mais l'épreuve du succès et les problèmes nés notamment de la « guerre des paysans » relativisent la distinction précédemment établie. L'autorité temporelle peut punir les blasphèmes publics et surveiller le culte, manifestation extérieure de la religion. Et si le prince empiète sur le domaine de la conscience, la résistance doit rester passive et se traduire par le martyre ou l'émigration.

On voit bien l'aspect ambigu d'une telle doctrine : elle va dans le sens d'une certaine laïcisation et pourtant la situation sociale n'est pas laïcisée : le second de Luther, Philippe Mélanchton (1497-1560) va dire que, si le prince ne possède pas le pouvoir des clefs, il est chargé d'appliquer les deux tables de la loi donc d'imposer un ordre non seulement politique et moral mais aussi religieux. Les anabaptistes, notamment, vont pouvoir être poursuivis comme fauteurs de troubles de par leur volonté de se séparer du « monde ».

Un changement socio-religieux de l'ampleur de la Réforme ne s'effectue pas sans tourmente ni contrainte. Très vite il est nécessaire de défendre l'acquis, de le renforcer, et cela aussi sur un plan politique et militaire. D'où la création de ligues : la Ligue de Torgeau (1526) avec Philippe de Hesse, la Ligue de Smalkalde (1531) qui mettront en échec les menées de Charles Quint.

Mais surtout il est nécessaire de mettre en place un nouvel ordre religieux qui comporte des aspects coercitifs. Schématiquement le passage au protestantisme s'effectue de façon différente dans les villes et les campagnes. Dans les villes libres le changement confessionnel d'une bonne partie de la population urbaine est suivi d'un changement de conseil municipal. Le nouveau conseil nomme un prédicateur « luthérien » et deux transformations marquent la rupture : la communion sous les deux espèces — symbole de l'union de tous avec Christ — et le sermon en langue allemande — symbole de la Parole de Dieu pure et claire. Luther va effectuer une traduction complète de la Bible en allemand, en 1534, qui contribuera à façonner l'allemand moderne (au XVIe siècle coexistaient de nombreux dialectes germaniques) et à donner une unité de culture d'autant plus précieuse que persiste le morcellement territorial.

A la campagne, la Réforme protestante vient d'en haut. Elle n'est pas due à une initiative de certains habitants mais se trouve effectuée par le prince territorial et son gouvernement. Et les paysans vont mettre plus ou moins longtemps à s'adapter au nouvel univers symbolique ; souvent plusieurs générations ce qui explique les espoirs tenaces de reconquête catholique ou de retour à l'unité religieuse.

A la ville comme à la campagne finalement se met en place une organisation assez différente de celle que prévoyait Luther au départ (où chaque communauté appelle et dépose les clercs dont elle a besoin, juge leurs doctrines — l'Eglise véritable étant l'Eglise invisible). La tendance de l'Eglise à se territorialiser — qui existait déjà au xvᵉ siècle — franchit, avec le protestantisme, un nouveau seuil. Le système des inspections est mis en place. Le prince ou le magistrat d'une ville libre désignent une commission formée de théologiens et de juristes : elle révoque les curés trop ignorants ou décidés à rester catholiques, ferme les couvents, sécularise les biens ecclésiastiques, restaure avec une partie de l'argent obtenu les bâtiments délabrés. Notons que la sécularisation des biens ecclésiastiques joue en faveur comme en défaveur du protestantisme : elle attire vers lui certaines autorités civiles ; elle empêche plusieurs prélats réformateurs d'effectuer le pas décisif.

Une nouvelle figure sociale émerge : le pasteur. En partie fonctionnarisé, inséré dans un système relativement pyramidal où il se trouve surveillé par des surintendants et un consistoire central, il peut faire preuve d'un certain conformisme. Mais il a aussi un rôle autonome. Et s'il ne saurait prétendre être un personnage sacré comme le prêtre — il se marie, il a une vie familiale —, il possède un incontestable prestige socioculturel. Son activité principale est la prédication en langue vernaculaire. On a tendance à le juger sur son contenu et aussi sur l'aspect exemplaire de sa vie de famille. Il va donc être porteur de nouvelles valeurs : l'autorité paternelle, l'amour conjugal, l'affection portée aux enfants. La « famille chrétienne » devient un idéal.

La fonction de pasteur est créatrice de mobilité sociale : la suppression des prébendes importantes et un certain nivellement des revenus sont assez dissuasifs pour la noblesse et les patriciens.

Par contre la petite bourgeoisie urbaine, l'artisanat voire les élites villageoises constituent de véritables viviers pastoraux. Et dans les pays germaniques — comme aussi dans les pays anglo-saxons —, les enfants de pasteurs, bénéficiant de l'ascension sociale et de la légitimité culturelle de leurs parents, vont jouer un rôle essentiel de cadres intellectuels, juridiques, militaires, scientifiques, médicaux, politiques. Sans parler de la création de sortes de dynasties pastorales qui constitueront parfois de véritables écoles théologiques et dont les controverses alimenteront la vie intellectuelle.

Si Luther s'est peu préoccupé d'organisation ecclésiastique, il a veillé à structurer théologiquement son Eglise par divers traités : en 1525 il publie *Du serf arbitre* (réponse en forme de rupture au *Libre arbitre* d'Erasme), en 1529 le *Grand catéchisme* et le *Petit catéchisme*, en 1536 enfin les *Articles de Smalkalde* qui répliquent à l'avance aux décisions du Concile de Trente.

Plus irénique à l'égard du catholicisme est la *Confession d'Augsbourg* (encore aujourd'hui la principale confession de foi des Eglises luthériennes) rédigée en 1530 par Philippe Mélanchthon lors d'une tentative — vaine comme toutes les autres — de retour à l'unité. De fait malgré une succession de conflits, de négociations et de colloques théologiques (notamment en 1540 et 1541) le luthéranisme n'est toujours pas véritablement reconnu dans l'Empire. Peu de temps après la mort de Luther (1546) Charles Quint tente d'imposer l'*Intérim d'Augsbourg* (1548) qui établit officiellement partout un catholicisme vaguement réformiste et prenant certaines distances à l'égard de Rome. Cela ne peut rien régler.

En 1555 la diète va créer un ordre plus stable par la paix d'Augsbourg. Elle marque le renoncement à l'unité confessionnelle de l'Empire. Deux confessions coexisteront : le catholicisme et le protestantisme luthérien sur la base de l'unité confessionnelle de chaque territoire (près de 400). C'est le principe du *cujus regio - ejus religio* complété par deux atténuations (le droit d'émigrer avec ses biens et la tolérance des deux cultes dans certaines villes libres) et une restriction (si un prince-évêque devient luthérien, il doit désormais renoncer à sa fonction ce qui l'empêche d'entraîner à sa suite son territoire). C'est une première forme rudimentaire de pluralisme religieux. Une première étape vers la liberté de culte.

Vers 1560 la géographie luthérienne est la suivante :

— l'Allemagne centrale et orientale est le foyer principal de culture et de spiritualité luthériennes ; on y trouve de grandes principautés, notamment le duché d'Albert de Hohenzollern avec sa capitale Königsberg ;

— l'Allemagne de l'espace rhénan et du sud du Main avec un luthéranisme urbain et des principautés plus petites ;

— les territoires baltiques et la Scandinavie. Au Danemark c'est le moine Haus Tausen qui a été le principal introducteur du protestantisme rédigeant en 1530 une confession de foi. Six ans plus tard une Eglise d'Etat luthérienne dano-norvégienne est instaurée. En Suède et Finlande des disciples de Luther, les frères Olaf et Laurent Petri sont l'âme d'un processus progressif de protestantisation. Une Eglise luthérienne où coexistent plusieurs courants est également constituée. Dans les deux cas le pouvoir royal a favorisé cette séparation d'avec Rome.

Mais la mort de Luther et le développement de querelles théologiques — notamment entre les philippistes — disciples de Mélanchthon et irénistes et les gnésio-luthériens parfois plus strictement luthériens que Luther lui-même — amènent des risques de scission interne. En 1580 (cinquante ans après la *Confes-*

sion d'Augsbourg), la *Formule de Concorde* va jouer un rôle unificateur (en coupant, cependant, des ponts avec le protestantisme réformé). Elle manifeste la montée d'une doctrine luthérienne qui se veut orthodoxe (la plupart des articles comportent une partie affirmative et une partie négative, rejetant la doctrine contraire) et conciliatrice (elle cherche à trouver ce qui unit les diverses tendances du luthéranisme et à établir une règle consensuelle).

La fin du XVIᵉ siècle est marquée, outre le coup d'arrêt porté par le catholicisme rénové du Concile de Trente, par un développement de l'instruction (princes, magistrats et pasteurs y collaborent) et par l'apparition du calvinisme surtout dans l'ouest de l'Allemagne. En matière d'instruction la Saxe et le Wurtemberg sont des Etats pionniers. Cette dernière principauté possédait 3 écoles en 1524, quand elle est devenue protestante, 80 en 1559. Elle en a 400 en 1600. Dans la plupart des territoires luthériens on incite les sacristains à devenir maîtres d'école. C'est surtout dans les villes que les progrès de l'instruction sont sensibles. La tâche est plus difficile dans les villages, même si le produit de la sécularisation des biens ecclésiastiques est, partiellement, utilisé dans ce but. Il s'agit encore, la plupart du temps, d'écoles temporaires, ouvertes quelques mois pendant la morte-saison. Néanmoins les réalisations contrastent avec le peu de développement des écoles catholiques.

L'apparition du calvinisme dans l'ouest de l'Allemagne notamment est en partie liée au rejet de la consubstantiation chez les lettrés influencés par l'humanisme. Le Palatinat est le premier à franchir le pas (*Catéchisme de Heidelberg*, 1563). En 1605 le landgrave de Hesse-Cassel établit le calvinisme sur ses terres. Huit ans plus tard l'Electeur de Brandebourg devient lui aussi calviniste mais laisse les habitants de son territoire rester luthériens. La fragmentation de la Réforme en plusieurs Eglises commence ainsi à provoquer, en certains endroits, une semi-tolérance de fait.

En Suisse, d'autres protestantismes

Si Wittemberg et la Saxe constituent le premier foyer du mouvement réformateur, presque en même temps, dans l'espace rhénan, d'autres centres émergent. Ils sont plus spécifiquement porteurs d'une civilisation urbaine et imprégnés davantage par l'humanisme.

On ne sait trop si Ulrich Zwingli (1484-1531) fut fortement influencé par Luther ou s'il n'a connu ses écrits qu'après être arrivé à des conclusions proches par une démarche personnelle (où l'humanisme érasmien s'ajouta à une expérience de la fragilité humaine et de la puissance de la grâce lors d'une épidémie de peste à Zurich). Quoi qu'il en soit Zwingli renonce, en 1521, à sa pension de chapelain pontifical et, en 1523, à la suite de deux disputes théologiques, le magistrat zurichois adopte ses 67 thèses qui constituent le premier programme de changement global proposé par la Réforme, reliant au renouveau théologique des modifications éthiques et sociales. La messe est remplacée par un culte dominical, centré sur la prédication et dont la liturgie est plus dépouillée qu'elle ne le sera dans le protestantisme luthérien.

Ainsi, avant même que cela se produise en haute Allemagne (où la première ébauche d'organisation a lieu en 1526), l'autorité civile prend des décisions où elle se substitue au pouvoir épiscopal et s'affirme implicitement le représentant de la communauté chrétienne.

Les deux « disputes » de Zurich obtiennent un large retentissement en Suisse et en Allemagne du Sud. De nombreuses villes de ces contrées vont suivre un processus identique pour adopter officiellement la Réforme. Référence exclusive à la Bible, emploi de la langue vernaculaire, présentation de thèses qui explicitent la rupture avec le catholicisme en seront les principaux points communs. Des clercs, que leur option sépare de leurs collègues, et des éléments actifs des classes moyennes urbaines vont imposer, souvent sans grande transition, un nouveau modèle d'Eglise et un nouveau modèle de société.

Nous avons déjà fait allusion aux divergences entre Luther et Zwingli à propos de la cène. Par ailleurs Zwingli, fort attaché à l'Ecriture — il fonde une école d'exégètes, la Prophezei et participe activement à l'édition de la *Bible de Zurich* (1529) en parler alémanique —, insiste cependant sur l'action directe de l'Esprit-Saint dans l'irruption de la foi. Certains de ses partisans cherchent alors à créer une communauté d'élus, indépendante du pouvoir civil, refusent de remplir les charges de la cité (serment, port d'armes), et rejettent le baptême des enfants. Au début de 1525 ces radicaux se baptisent mutuellement et forment la première Eglise indépendante de l'Etat des Temps modernes. C'est l'anabaptisme pacifique qui est persécuté (son chef, Manz, ayant « péché par l'eau », est noyé) et se réfugie dans les montagnes notamment du Jura bernois. En 1527 une assemblée d'anabaptistes se réunit près de Schaffhouse et élabore les *Articles de Schleitheim*. L'anabaptisme se caractérisera notamment par la doctrine du « compagnonnage » : la relation du chrétien avec le Christ doit l'amener à cheminer quotidiennement avec Dieu et à transformer son mode de vie. Le pouvoir de décision appartient à la communauté dans son ensemble. Celle-ci est composée de croyants adultes, baptisés de leur plein gré après avoir professé leur foi.

Zwingli veut étendre la Réforme à l'ensemble de la Confédération helvétique. Dans plusieurs cantons, notamment Fribourg, elle est étouffée. Mais elle triomphe à Berne, Saint-Gall, Bâle (où elle est animée par Œcolampade). De tels succès attisent la résistance de cantons catholiques et dans le camp protestant lui-même l'activisme de Zwingli ne fait pas l'unanimité. Des incidents éclatent. En octobre 1531, des cantons catholiques mettent en déroute les troupes zurichoises à Cappel. Zwingli trouve la mort au cours de la bataille. La Réforme apparaît donc bloquée en Suisse alémanique même si le successeur de Zwingli, Henri Bullinger (1504-1575), arrête, à Zurich même, une réaction catholique et si, en 1536, la première *Confession helvétique* permet l'affirmation de convictions communes aux villes protestantes de cette partie de la Confédération (on cherche à dépasser la conception zwinglienne de la cène, en affirmant que, là, le Christ se donne lui-même au croyant).

Grâce à son succès à Berne, la Réforme protestante va, d'autre part, nettement progresser en Suisse romande, dans les années 30. Le premier succès est obtenu en 1530 à Neufchâtel grâce à Guillaume Farel (1489-1565), un Dauphinois. Six ans plus tard les bourgeois de Genève, vieille cité épiscopale liée à la Savoie mais devenue membre de la Confédération, décident de devenir protestants. Ce résultat est dû à ce que R. M. Kingdom a appelé une « révolution anticléricale ». Une caste sacerdotale dominait Genève (400 membres du clergé et 600 employés laïques sur environ 10 à 11 000 habitants) juridiquement, politiquement, économiquement. En 1535 presque tous les prêtres sont chassés de la ville et pratiquement aucun ne jouera de rôle dans la nouvelle Eglise réformée.

C'est dans un tel contexte que Jean Calvin (1509-1564), « un humaniste gagné à la Réforme » (R. Stauffer), arrive dans la ville et y reste à la demande de Farel qui y résidait déjà. Il manifeste presque aussitôt son souci d'expression de la foi, d'enseignement et d'organisation ecclésiastiques. Ses *Articles* de 1537 constituent une initiative pastorale remarquable en un temps où la plupart des règlements ecclésiastiques sont dus aux magistrats. Une compagnie de pasteurs se réunissant périodiquement se voit attribuer d'importants pouvoirs disciplinaires. Le conseil de la ville refuse. Calvin doit partir, de même que Farel qui retourne à Neufchâtel (1538). Cependant l'implantation du protestantisme en Suisse romande avait été complétée, à l'automne 1536, par la « victoire » des Réformateurs (Calvin, Farel, Viret) à la dispute de Lausanne.

Pendant trois ans (1538-1541), Calvin est le pasteur des Français réfugiés à Strasbourg pour cause de protestantisme. Cet ancien étudiant en droit, ce théologien autodidacte est déjà une autorité : il a publié en 1536 la première mouture (6 chapitres précédés d'une *Epître au roi*) du grand ouvrage dogmatique qui ne cessera d'augmenter et de se modifier (80 chapitres dans la dernière édition de 1559-1560), *L'institution de la religion chrétienne*. Cependant le séjour strasbourgeois de Calvin complète sa formation dans les domaines liturgiques et ecclésiologiques notamment, sous l'influence de Bucer (1491-1551). Ce dernier, principal animateur et organisateur de la Réforme à Strasbourg dans les années 20, a des vues originales en matière d'organisation ecclésiastique. Il voudrait créer, en plus et au sein des paroisses de la cité, de petites communautés professantes appelées à réactiver périodiquement l'Eglise de multitude.

En 1541 l'élection de nouvelles autorités amène Calvin à revenir à Genève. Il y restera jusqu'à sa mort, modérateur permanent de la Compagnie des pasteurs dont le chiffre a varié entre 9 et 22. Ces nouveaux clercs se caractérisent, outre leur petit nombre, par le fait qu'ils sont des étrangers (ils ont une formation universitaire alors impossible à acquérir à Genève) et, en général, proviennent de la bourgeoisie plutôt aisée du sud-est et du centre de la France. Ils ne disposent pas de la sécurité financière des anciens chanoines, l'ensemble des biens d'Eglise ayant été sécularisé, et reçoivent des gages modestes du gouvernement de la ville dont ils sont, en quelque sorte, les fonctionnaires. Cependant Calvin exerce un magistère moral indéniable.

Les *Ordonnances ecclésiastiques*, ratifiées dès 1541, permettent au Consistoire, formé des pasteurs et de 12 anciens, d'imposer une discipline assez stricte qui écarte de la cène ceux qui paraissent mener une vie contraire aux « préceptes évangéliques ». Le Réformateur, soutenu par les réfugiés notamment français et italiens (lui-même est un étranger jusqu'en 1559), mène une lutte continuelle pour enseigner les nouvelles doctrines. Il doit combattre les restes de catholicisme et les menées de ses adversaires, les « libertins spirituels », représentant les grandes familles genevoises (qui avaient libéré la ville de l'influence de l'évêque), au pouvoir de 1547 à 1555.

C'est dans ce contexte qu'un protestant humaniste Sébastien Castellion doit quitter la ville (il écrira en 1564 à Magdebourg son traité *Contre la poursuite des hérétiques*) et qu'en 1553 Michel Servet, dénoncé par Calvin, est condamné à mort par le Conseil et brûlé vif pour avoir nié le dogme de la Trinité.

Pourtant Calvin a aussi une vocation de rassembleur : il conclut avec Bullinger le *Consensus Tigurinus* qui, sans désavouer le symbolisme zwinglien sur la cène, souligne la réalité de la présence spirituelle. Un tel rapprochement, approuvé par Mélanchthon, est suivi d'une vive polémique avec des luthériens stricts. Genève devient pourtant, ces années-là, une sorte de ville mythique qui succède à Wittenberg comme anti-Rome, cité refuge et centre du rayonnement international du protestantisme. L'immense activité littéraire de Calvin et sa correspondance lui donnent une place à part dans un réseau de dimension européenne. De Genève partent des livres et — grâce à l'Académie, fondée en 1559 et très vite importante — des pasteurs. Comme toujours le mythe a deux faces et l'attirance des uns n'a d'égale que la répulsion des autres.

Calvin meurt en 1564 et le recteur de l'Académie, le Français Théodore de Bèze (1519-1605) lui succède. Le protestantisme est alors bien implanté dans divers cantons suisses. Il prouve sa vitalité par l'adoption quasi unanime de la *Confession helvétique postérieure* (1566). Rédigée par Bullinger à la demande de l'Electeur palatin (qui venait de devenir « calviniste »), elle sera aussi adoptée par des protestants hongrois, écossais, polonais, favorisant ainsi le développement d'une solidarité théologique entre Eglises réformées. En France, cependant, l'introduction de la Réforme a abouti, ces mêmes années, aux « guerres de religion ».

La création des Eglises réformées en France

Dès 1518, des écrits de Luther ont été lus et parfois édités dans le royaume de France et la propagation des idées du Réformateur continua malgré la condamnation de la Sorbonne en 1521 et la mort, brûlé vif, du premier martyr Jean Vallière (cette mort sera suivie de beaucoup d'autres). L'influence de Luther, si marquante soit-elle, se conjugue alors avec celle d'Erasme et du mouvement de Meaux animé par Lefèvre d'Etaple (1450 ou 1455-1536). L'historien britannique F. Higman insiste sur les caractéristiques propres de cet « évangélisme non schismatique » composé de chrétiens fervents qui attendent d'une lecture assidue de l'Ecriture un accès renouvelé au Christ. Mais si, au départ, ils ne veulent pas rompre avec l'Eglise établie — on les retrouvera ensuite dans les deux camps —, leurs activités, notamment de traducteurs de livres bibliques, les rendent doublement déviants. En effet la Sorbonne abhorre les traductions nouvelles qui conduisent les laïques à entretenir un rapport direct à l'Ecriture et à se réunir en conventicules en dehors des paroisses. D'autre part l'importance donnée à l'Ecriture va de pair avec une interprétation nouvelle des textes bibliques qui relativise l'institution et donne, par exemple, une légitimation éthique au ministère.

Le grand espoir est d'obtenir la conversion du roi François Ier aux idées nouvelles. Dès 1525, Zwingli lui a dédié son *Commentaire sur la vraie et la fausse religion.* On retardera, ensuite, la création d'Eglises réformées pour ne pas indisposer le pouvoir royal. Mais ces espoirs vont se révéler illusions. Il faut dire que, contrairement aux principautés allemandes et à l'Angleterre, le mouvement de renouveau religieux ne rencontre pas, en France, le courant nationaliste et l'antagonisme avec Rome. Un concordat signé en 1516 donne à l'Eglise de France un caractère largement gallican et un certain contrôle du roi sur les évêques. Cela satisfait le monarque mais aussi une bonne partie de l'opinion. Par ailleurs, les aspects déstabilisateurs pour l'ordre moral et l'ordre social d'une dérive de la réforme religieuse en Réforme protestante vont être rendus manifestes par la provocation des « placards » : le 18 octobre 1534 à Paris, Orléans, Tours, Blois (dans le château où réside alors le roi) des affiches ou « placards » dénoncent les « horribles, grands et insupportables abus de la messe papale » et développent une conception zwinglienne de la cène.

« Perturbateurs du repos public », les non-conformistes vont se trouver traqués. Plusieurs, comme Calvin, s'enfuient hors de France. D'autres sont arrêtés. Certains propagandistes continuent leur témoignage au moment de leur mise à mort et on doit préalablement leur couper la langue. La joie de « simples femmelettes » martyres étonne. Les persécutions atteignent durement le bas clergé, ce qui montre qu'il avait été touché par les idées de renouveau. Les autres milieux de fort recrutement sont des « officiers », des artisans, des marchands et des nobles. Des personnes que le projet de promotion des laïques et de valorisation de la vie chrétienne en dehors des couvents motive fortement.

Dans les années 40, la rupture explicite avec le catholicisme devient un clivage important au sein du mouvement réformateur. Pourtant le projet de changement religieux global en France n'est pas abandonné. Mais avec la présence permanente du Français Jean Calvin à Genève c'est une nouvelle stratégie qui se trouve mise en œuvre : préparer la subversion religieuse du royaume à partir de cette ville, centre de propagande puis d'envoi de pasteurs. Il y a cependant une divergence entre les Français réfugiés à l'étranger qui, espérant toujours gagner la Cour, freinent la création d'Eglises séparées et les protestants de l'intérieur — on commence à les appeler « huguenots » — qui veulent voir rapidement leurs Eglises organisées. Le premier synode des Eglises réformées a lieu à Paris, en 1559, un peu à l'insu des Genevois. Ces Eglises ont alors entre 1 500 000 et 2 000 000 d'adeptes (soit 8 à 12 % des habitants du royaume).

Le synode adopte une confession de foi qui sera définitivement établie en 1571 au synode de La Rochelle. La *Confession de La Rochelle* veut montrer le caractère chrétien (maintien des dogmes trinitaires et christologiques) et protestant (justification par la foi, souveraineté de l'Ecriture, définition nouvelle de l'Eglise) des Eglises réformées. On élabore également une *Discipline* que les anciens devront faire respecter dans chaque communauté. On pense que le protestant doit porter témoignage de la grâce divine par un nouveau comportement qui nécessite un apprentissage et un encadrement communautaire. Le réformé ne va pas jurer, boire, danser, se disputer sans encourir la sanction des laïques — les anciens. Le régime ecclésiastique est presbytéro-synodal : au niveau de l'Eglise locale le pouvoir appartient au collège des anciens (presbytes) et au pasteur. Les synodes permettent une coordination, une mise en commun entre les différentes Eglises réformées. Contrairement à ce qui se passe de nos jours ils n'engendrent pas de pouvoir exécutif : le synode n'a plus d'existence dès que ses séances sont achevées et aucun conseil ne se réunit à un niveau régional ou national entre deux synodes. Cependant la création de colloques, groupant les Eglises en petites entités géographiques, diminueront un peu la quasi-indépendance des Eglises locales. Ce système assure, plus que l'organisation luthérienne, une promotion des laïques. Cela augmentera la force de cette minorité, forgée en dépit des persécutions et de l'hostilité et comprenant une proportion assez inhabituelle à l'époque, de convertis volontaires.

Les guerres de religion commencent en 1562 par le massacre des réformés à Vassy, elles font suite à la « conjuration d'Amboise » (mars 1560) et à l'échec du retour à l'unité religieuse au colloque de Poissy (septembre-octobre 1561). Elles se produisent en un temps d'instabilité monarchique où le pouvoir royal est occupé par des adolescents, une régente puis des souverains contestés. Les grandes familles féodales, implantées dans les rouages de l'Etat, tentent alors de s'assurer le contrôle de la puissance monarchique et, en même temps, de faire triompher leurs croyances. Les guerres sont entrecoupées de trêves et d'édits de pacification. Les appels à l'étranger — l'Angleterre pour les protestants, l'Espagne pour les catholiques — alternent avec des phases de réconciliation nationale. Les batailles rangées restent minoritaires. On assiste en fait à un ensemble de violences politico-religieuses avec des crimes politiques, des règlements de comptes familiaux, des attaques par diverses bandes contre des châteaux et des villes, des massacres qui sont effectués par le peuple et ses meneurs locaux.

Dès 1562 des protestants sont massacrés en plusieurs endroits. Des explosions en chaîne, jamais complètement apaisées se manifestent périodique-

ment en 1568, 1570 et lors de la — puis des — Saint-
Barthélemy de 1572.

La nuit tragique de la Saint-Barthélemy (24 août 1572) est
restée dans la mémoire collective. La volonté du pouvoir de déca-
piter le parti huguenot (et d'exécuter Coligny) s'est accompagnée
d'une violence populaire qui, pendant trois jours, massacra
entre 2 000 et 3 000 réformés. Au fur et à mesure que la nouvelle
arrive à Meaux, Orléans, Troyes, Bourges, Saumur, Lyon, puis
plus tard dans le Midi, notamment à Bordeaux et Toulouse, de
nouveaux massacres sont accomplis et les livres de la « nouvelle
religion » sont brûlés.

On peut analyser la Saint-Barthélemy comme un « crime rituel »
où les huguenots sont des victimes sacrificielles. Le roi en tuant
leurs chefs avait mis fin à ses hésitations. Le peuple, à sa suite,
purifiait le royaume. La Saint-Barthélemy est due à une super-
position de violences : « celle d'un gouvernement aux abois qui
a cherché dans le crime politique la solution de ses difficultés et
celle d'un peuple angoissé, redoutant la vengeance divine sur une
terre où l'hérétique sacrilège (est) toléré » (J. Garrisson).

Mais à ces violences et crimes rituels répondent les
violences et crimes prédicatifs des réformés voulant
montrer, en les détruisant, que Dieu ne protège pas
les personnes et les objets sacralisés dans la religion
traditionnelle. Ainsi, en septembre 1567 se produit
la Michelade de Nîmes : 80 religieux, prêtres et notables catholiques sont entassés dans la cour de l'évêché
et égorgés. Les tableaux, les statues, les reliques, les
églises elles-mêmes, tout ce qui est signe des médiations catholiques entre Dieu et l'être humain sont
l'objet de la fureur protestante et, quand cela est
possible, anéantis.

Le choc de la Saint-Barthélemy n'est pas sans lien
avec la théologie du politique qui se développe dans
le milieu des réformés réfugiés à Genève et que
Théodore de Bèze synthétise dans son ouvrage *Du
droit des magistrats*. Bèze accentue fortement un
aspect déjà présent chez Calvin : l'existence de magistrats intermédiaires entre le magistrat suprême et le

peuple et qui peuvent exercer un contrepoids en cas d'abus de pouvoir royal. Il estime que le roi doit observer la loi de piété et la loi de justice en vertu d'un double pacte qui le lie à Dieu et au peuple. S'il viole les droits divins ou humains et devient un tyran, alors les « magistrats inférieurs » peuvent diriger un mouvement national de résistance jusqu'à la déposition du tyran par des Etats généraux.

Cette idée d'une résistance constitutionnelle reprend, en partie, des théories du Moyen Age concernant le droit de résistance face au tyran. Mais, alors que ces dernières prônaient ce droit finalement au profit du pape qui avait le pouvoir de délier du devoir d'obéissance, avec Bèze c'est un organe de contrôle au sein même de l'Etat, une instance laïque peut-on écrire, qui se trouve prévue pour limiter le pouvoir royal et, le cas échéant, s'opposer à lui.

D'autres traités protestants, publiés à la même époque, développent des idées analogues comme ceux du huguenot François Hotman. On trouve un écho de leurs idées dans la *Déclaration d'indépendance des Provinces-Unies* (les Pays-Bas protestants) en 1581, où on lit : « Les sujets ne sont pas créés pour le prince afin d'obéir à lui en tout ce qu'il lui plaît commander, soit selon Dieu, soit contre Dieu, raisonnable ou déraisonnable... mais plutôt le prince pour les sujets... afin de les gouverner selon droit et raison. »

Au moment où Bèze rédige son livre les protestants réformés du Midi mettent sur pied une sorte d'Etat fédératif que J. Delumeau a appelé les « Provinces-Unies du Midi ». La séparation des pouvoirs y est ébauchée. Les Etats généraux nomment un protecteur assisté d'une assemblée politique qui groupe les délégués de chaque province. Des chambres mi-parties composées de juges catholiques et protestants sont aussi créées. Le protecteur est un prince du sang — Henri de Condé puis Henri de Navarre — mais on constate l'importance dans les provinces, largement autonomes, de personnes qui sont, alors, très inférieures aux grands féodaux : les nobles de robes, les bourgeois, les avocats, les notaires. Cette organisation d'une vaste région allant de La Rochelle au Dauphiné

effectue certains emprunts aux institutions traditionnelles du Midi et les complète par des éléments
proches de la structure ecclésiastique des Eglises
réformées.

Les « Provinces-Unies du Midi » mènent la guerre
à la monarchie de 1573 à 1589. Quand le protecteur
devient roi de France, il n'est pas remplacé mais les
assemblées politiques continuent de se réunir. Elles
constituent un moyen de pression sur Henri IV,
converti au catholicisme en 1593.

La France est alors coupée en trois : « les Provinces-
Unies du Midi », la Ligue et ce qui reste de l'Etat
royal. Henri IV, dans un même mouvement, conquiert
son royaume et rétablit la paix. Après des discussions
serrées, il publie l'*Edit de Nantes* (avril-mai 1598) qui
prend appui sur certains Edits précédents et est
déclaré « perpétuel et irrévocable ».

L'Edit affirme que la religion catholique est la religion du royaume. Elle doit donc être « universelle-
ment rétablie ». Mais les sujets du roi de la « Religion
prétendue réformée » (la RPR) obtiennent un statut
dérogatoire au droit public commun et certaines
libertés leur sont accordées. Ce double aspect va
marquer les diverses dispositions de l'Edit.

Le rétablissement de l'Eglise catholique, dont le culte doit être
célébré partout et qui doit retrouver tous ses biens, amène, dans le
Midi, de profonds bouleversements : en certains endroits, en
effet, il n'y a plus un seul catholique. Par ailleurs les protestants
devront vivre sous une certaine domination de l'Eglise romaine,
il leur faudra payer la dîme, chômer les fêtes catholiques, respecter
les dispositions du droit canon en matière de mariage, etc.

Mais, obtenues à la pointe de l'épée, les dérogations sont
importantes. Les libertés civiles sont garanties aux protestants,
notamment la possibilité d'accéder à tous les emplois. Les lieux de
culte sont fixés et se répartissent en « culte de fief » (pour les
seigneurs haut justiciers, les autres n'ont droit qu'à un culte
privé), « cultes de possession » (le culte peut continuer à être
célébré là où il est régulièrement établi en 1596 et 1597), « culte

de concession » (2 par baillage avec des lieux interdits comme Paris et certaines villes). Bien sûr, les cultes de possession sont surtout nombreux dans l'Ouest et le Midi, les cultes de concession dominent dans le Nord et le Centre.

Des chambres mi-parties sont créées dans quatre villes. Elles devront juger en dernier ressort les affaires où la RPR serait impliquée. Le régime presbytérien synodal est accepté. Par des brevets (grâces royales) le roi s'engage à contribuer aux frais du culte et concède aux protestants 150 « lieux de refuge » où ils auront une garnison.

La minorité huguenote — réduite à 1 200 000 personnes par les guerres de religion — n'a donc pas été vaincue. Mais l'Edit par lequel elle obtient une existence officielle comporte aussi de sérieuses restrictions. Dès le départ, catholiques et protestants en font une lecture différente : restrictive pour les uns, dynamique pour les autres.

L'Angleterre
ou un protestantisme tempéré

L'Angleterre constitue le modèle d'un protestantisme qui, étant donné les conditions de sa naissance, ne modifie que partiellement le cadre ecclésiastique catholique. On peut cependant parler d'une dynamique protestante qui va rendre l'histoire culturelle et religieuse de l'Angleterre tout à fait différente de celle de la France, notamment avec tous les phénomènes de non-conformisme qui vont se développer à la frontière de l'anglicanisme.

Trois caractéristiques principales vont marquer les changements religieux de l'Angleterre du XVIᵉ siècle.

1) La façon dont la Réforme y est introduite. Le schisme d'Henri VIII (1534), dû au refus d'annulation du pape de son mariage avec Catherine d'Aragon, aboutit à une période troublée. Certains trouvent suffisante la création d'une Eglise d'Angleterre dirigée par le roi (sorte de catholicisme anglican) : le roi

lui-même n'a-t-il pas gardé bien des croyances catholiques ? D'autres souhaitent le rétablissement des prérogatives du pape, d'autres enfin une Réforme semblable à celle du continent. Ces deux derniers groupes ne tardent pas à avoir leurs martyrs (tels Thomas More pour les catholiques, Th. Cromwell pour les protestants).

2) Les aller et retour religieux de la seconde moitié du XVIe siècle sous les règnes successifs des trois enfants d'Henri VIII. Avec le jeune roi Edouard VI (1547-1553) l'Eglise d'Angleterre devient pratiquement protestante sous l'influence de Thomas Cranmer, archevêque de Canterbury, et de Martin Bucer. Le *Livre de prière (Prayer Book)* de 1552 et les *Quarante-deux articles* (1553) sont imprégnés de calvinisme et des catholiques sont pourchassés. Au contraire, Marie Tudor (1553-1558), fervente catholique, impose à son pays une recatholisation forcée dans des conditions qui vont lui valoir le surnom de « Marie la sanglante » et vont créer un sentiment « antipapiste » durable en Angleterre. Enfin Elisabeth Ire (1558-1603) également tentée par la rigueur calviniste et la pompe catholique va instaurer un anglicano-protestantisme, cherchant à rallier les modérés des deux camps. Le *Livre de prière* de 1552 est remis en honneur avec des formules un peu atténuées et les *Trente-neuf articles* de 1571 (encore aujourd'hui la plate-forme doctrinale de l'Eglise d'Angleterre) exposent « sous une forme souvent ambiguë, des conceptions chères à la Réforme continentale et, plus précisément, calvinienne » (R. Stauffer). Mais le clergé, quand il officie, doit revêtir le surplis, ce que contestent certains.

Cette recréation d'une Eglise d'Etat favorise un certain apaisement mais la bulle d'excommunication du pape contre la « reine prétendue du royaume d'Angleterre » propageant de « pernicieuses doctrines » ranime la lutte. Les catholiques anglais seront périodiquement pourchassés et considérés comme des « traîtres » étant donné leur double allégeance politico-religieuse. Comment être un fidèle sujet de la couronne d'Angleterre quand on l'est d'un pape qui vous a délié de votre devoir d'obéissance ? Le protestantisme apparaîtra ainsi, à diverses reprises, comme le porteur de la conscience nationale anglaise.

3) La création de l'anglicano-protestantisme que l'on peut sommairement définir comme une Eglise théologiquement protestante dans un cadre ecclésiastique resté proche du catholicisme. L'émergence de cette *via media* à travers un mouvement de balancier amène une pluralité de tendances dans l'Eglise d'Angleterre. Un courant est assez imprégné par certains éléments catholiques. Par contre, dès la fin du règne d'Henri VIII, se développe un zèle protestant urbain notamment à Londres, Oxford, Cambridge. D'autres villes se montrent plus tempérées, notamment York qui protège les opposants catholiques jusqu'en 1570.

Un protestantisme militant se forge aussi dans les milieux qui ont fui les persécutions de Marie Tudor et se sont réfugiés à l'étranger, notamment à Genève. C'est le cas, entre autres, de l'Ecossais John Knox (1505-1572) qui, réfugié en Angleterre, avait participé sous Edouard VI à l'élaboration des *Quarante-deux articles*. En Suisse Knox connaît Calvin et Bullinger, et de retour dans son pays en 1559 (deux ans avant, les nobles écossais avaient adopté le *Livre de prière*), il prêche le calvinisme, enflammant, par sa prédication, le peuple des Basses-Terres. En 1560 le Parlement écossais abolit l' « idolâtrie » et l'épiscopat, et adopte la *Confession écossaise* inspirée par l'*Institution chrétienne*. L'organisation ecclésiastique est presbytérienne. L'Angleterre voit donc, à sa frontière du Nord, se développer un protestantisme nettement plus radical que le sien. Cela est d'autant plus important que se développe au sein de l'Eglise d'Angleterre, dès le règne d'Elisabeth, un courant puritain qui souhaite une protestantisation plus poussée. Une non-conformité limitée se fait jour : dans certaines régions des pasteurs réussissent à conserver leur bénéfice sans mettre le surplis. Parfois même certains puritains radicaux forment leur propre congrégation indépendante. C'est le début du congrégationalisme — alors pourchassé — sous l'impulsion de Robert Browne (vers 1550-1633).

« Nouvelle religion », nouvelle culture

Le protestantisme est à la fois rupture et rénovation. Il se pense comme une continuité rénovatrice. L'invention de l'imprimerie, le seuil de 10 % de lisants pratiquement atteint dans certaines régions d'Europe, la montée de la conscience nationale, les progrès démographiques favorisent son succès sur une large échelle. Inversement, comme l'écrit P. Chaunu, les « pays où la Réforme protestante l'a emporté capitalisent, dans un grand élan religieux, ce changement de perception ». Les nouvelles références culturelles et spirituelles privilégient une « durée rompue » : la naissance du christianisme et les quatre premiers siècles de son histoire. Très vite un nouveau champ de références s'y ajoute : la Réforme elle-même, l'expérience religieuse de ceux qui forment ensemble le protestantisme. Les nouvelles confessions de foi renvoient l'une à l'autre. Les divergences théologiques et la disparité territoriale induisent une pluralité, ils ne brisent pas un sentiment d'unité dont sont, cependant, temporairement exclus les tenants de l'aile radicale. Le protestantisme est cet ensemble un et divers : les Eglises de la Réforme.

La « nouvelle religion » est aussi, forcément, nouvelle culture. Les mœurs sont changées. Ainsi virginité et célibat ne sont plus privilégiés. « Dieu a béni l'état de mariage plus que tout autre », écrit Luther. Mais, complémentairement, le caractère sacramentel de la cérémonie de mariage est aboli. On privilégie désormais son aspect civil pour ne pas dire civique. De telles modifications amènent à affronter, de face, la puissance explosive de la sexualité. Faut-il aller jusqu'à une morale de situation ? Luther l'a cru un moment, jugeant, pour Philippe de Hesse, la bigamie préférable à l'adultère. Cependant, en général, le protestantisme — et notamment le calvinisme — a voulu façonner une moralité rigoureuse où pasteur et laïques sont soumis aux mêmes exigences. Mais cette moralité même est différente : plus stricte quant à la danse et aux boissons, elle permet — en cas d'adultère — le divorce et le remariage.

Nouvelle éthique sexuelle, nouvelle éthique du travail. Luther traduit par le même mot *Beruf* deux termes bibliques dont l'un est généralement rendu par « travail » et l'autre par « vocation ». Pour le Réformateur la tâche professionnelle est l'expression extérieure de l'amour du prochain. Ainsi se trouve dévalorisée la recherche du salut hors du monde, dans des monastères, et favorisé ce que Max Weber appelle un « ascétisme intramondain » : « le devoir s'accomplit dans les affaires temporelles (et) constitue l'activité morale la plus haute ». L'activité quotidienne revêt, en tant que telle, une valeur religieuse et, paradoxalement, cela va contribuer à la laïciser.

La prolifération des opuscules en langue vulgaire et l'afflux de traductions de la Bible incitent au développement intellectuel et à l'esprit d'examen. Dans plusieurs contrées d'Europe on assiste à une diffusion massive de petites brochures in-16, écrits de Luther ou d'autres réformateurs, petits traités, recueils de prières, etc. Colporteurs, imprimeurs, ex-prêtres, maîtres d'écoles les répandent. Même quand les auto-rités sont hostiles, il est difficile d'arrêter leur diffu-sion. Et l'ouvrage que l'on veut faire surtout connaître, c'est la Bible. Ainsi en Angleterre, dès 1540, une traduction anglaise à bon marché circule. Manuel scolaire par excellence elle forge un esprit nouveau, voire donne des idées subversives. D'où l'interdiction royale de mettre les Ecritures entre les mains des femmes, des journaliers, des personnes de basse condition.

Mais le protestantisme ne conduit pas seulement à une certaine intellectualisation de la religion. Il veut aussi s'adresser au cœur des fidèles et souhaite leur participation plus active au culte. Le chant d'assemblée, le choral, devient le complément indispensable du sermon. Luther a lui-même composé le texte et la mélodie de plusieurs dizaines de cantiques dont certains, qui favorisent l'ex-pression d'une foi joyeuse et fervente, sont encore chantés dans les Eglises luthériennes d'aujourd'hui. La musique allemande, enra-cinée dans le chant choral, atteindra son apogée avec Jean-Sébastien Bach (1685-1750) dont l'œuvre (environ 300 cantates) va avoir une place privilégiée dans la liturgie.

La tradition calviniste favorise le chant des Psaumes. Le *Psautier de Genève* (1562) comprend l'ensemble de ce livre biblique traduit par Clément Marot et Théodore de Bèze et mis en musique par Loys Bourgeois. Les pays anglo-saxons vont ajouter aux Psaumes, au XVIIe siècle, des hymnes adaptés d'œuvres de grands écrivains comme John Milton et John Bunyan. L'anglicanisme fera bon accueil aussi à de grandes œuvres religieuses comme le *Messie* de Haendel.

En 1617, l'Europe protestante célèbre avec éclat le centenaire des 95 thèses de Luther considérées comme l'événement fondateur de la Réforme. Mais les conflits politico-religieux sont loin d'être terminés et la révolte des nobles protestants de Bohême donne le signal d'une guerre qui, avec des interruptions spora-diques, va durer trente ans.

Chapitre III

LA MODERNITÉ PROTESTANTE

Dans quelle mesure le protestantisme a-t-il été porteur de modernité ? Débat ancien, toujours renaissant car fondamental. Apportons, dès le départ, quelques éclaircissements. Il ne s'agit pas de faire du protestantisme la cause principale de la modernité occidentale. Plutôt de montrer qu'il a joué un rôle actif, parmi d'autres facteurs, dans l'émergence de cette modernité. Il n'est pas question, non plus, d'opposer un protestantisme créateur de temps nouveaux à un catholicisme lié aux temps anciens. Nous laissons simplement aux historiens du catholicisme le soin de déterminer quelle fut la modernité catholique. Notre optique, enfin, n'est pas celle d'une histoire des doctrines. La réalité est plus rusée et le rôle des doctrines dans le changement historique dépend fortement de la façon dont elles sont comprises, traduites dans la vie sociale, mélangées les unes aux autres provoquant ainsi des conséquences souvent imprévues de leurs auteurs, parfois paradoxales, mais qui, pourtant, n'échappent pas à une certaine logique.

Ainsi en est-il du rapport entre protestantisme et tolérance. La protestation de Luther dénie, de fait, à toute autorité humaine — pape, concile, magistrat — le droit d'imposer une conviction religieuse.

Position que ni lui-même ni les autres Réformateurs ne maintiendront. Inversement ceux qui l'ont défendu avec constance ne sont pas devenus des Réformateurs car leur conviction même les a empêchés, dans les conditions de cette époque, d'être des bâtisseurs d'Eglises. Edgar Quinet remarquait déjà, en son temps, que si Luther et Calvin avaient proclamé la liberté des cultes ils n'auraient jamais effectué « l'ombre d'une révolution religieuse ». Il fallait déraciner des habitudes séculaires de soumission passive, imprimer d'autres habitudes morales et quand ce travail a été historiquement accompli alors le protestantisme a pu établir la tolérance, « dernier mot » de sa révolution. Vision un peu schématique ? Peut-être. Mais hypothèse intéressante. En créant une pluralité d'Eglises — donc en opérant un éclatement du pouvoir religieux —, en développant l'instruction et le contact direct avec l'Ecriture, en relativisant la distinction entre clercs et laïques le protestantisme n'a-t-il pas davantage contribué à la construction de sociétés religieusement tolérantes que si, maintenant sa belle position de départ, il n'avait eu aucun poids historique ?

Les Provinces-Unies et la création d'une société pluraliste

Aux Pays-Bas espagnols la Réforme tente d'abord de pénétrer soit sous une forme luthérienne, soit par l'anabaptisme. Rebaptisé en 1536, un ancien prêtre, Menno Simons (1496-1561), structure les groupes anabaptistes de l'Europe du Nord malgré les persécutions qu'ils subissent de la part des catholiques et des autres protestants. Il les inspire par ses prédications nocturnes (aujourd'hui on appelle « mennonites » la plupart des anabaptistes). Mais c'est essentiellement le calvinisme qui devient le porte-drapeau des idées nouvelles et progresse en s'alliant au nationalisme.

Philippe II confie au duc d'Albe le soin de la répression. Des dizaines de milliers de protestants sont tués entre 1567 et 1573. En 1579 les provinces et seigneuries méridionales se réconcilient avec Philippe II. En riposte sept provinces du Nord et quatre villes forment l'Union d'Utrecht. Guillaume le Taciturne est mis au ban de l'Empire. Il répond par le célèbre « Je maintiendrai » qui sera la devise de la Maison d'Orange. Mais bientôt les villes du Sud tenues par les protestants (Gand, Bruxelles, Anvers) doivent capituler. Beaucoup de leurs habitants émigrent vers le nord et contribueront à sa prospérité. Désormais coexistent deux entités hostiles : les Pays-Bas espagnols catholiques et les Provinces-Unies protestantes formées de républiques autonomes. Guerres plus ou moins larvées et trêves alternent jusqu'à la paix de Westphalie en 1648.

Une relative tolérance dans les Provinces-Unies va se développer à la suite de la querelle arminienne. Pour l'orthodoxie calviniste Dieu détermine à l'avance ce qu'Il veut faire de chaque être humain, les ordonnant les uns à la « vie éternelle », les autres à l' « éternelle damnation ». François Gomar applique même la prédestination à la faute d'Adam (supralapsisme). Par contre, selon Jacob Arminius (1560-1609), professeur à Leyde, la prédestination tient au fait que Dieu sait à l'avance quelle personne persévérera dans la foi et quelle autre sera incrédule. L'accent n'est plus mis sur l'incompréhensible toute-puissance divine mais sur la prescience de Dieu. Les partisans d'Arminius sont nombreux dans la bourgeoisie d'affaires. Ils adressent, en 1610, une « Remonstrance » aux Etats de Hollande contre les calvinistes orthodoxes qui tentent de faire destituer leurs pasteurs. Les milieux populaires sont attachés à une stricte doctrine de la prédestination (les « élus » ne sont pas forcément des gens fortunés), théologie de résistance contre le danger espagnol. En 1618-1619 le synode de Dordrecht, en présence de 28 députés étrangers, fait comparaître 13 délégués des Remonstrants. L'arminianisme est condamné ; 200 pasteurs sont déposés. Mais certaines provinces refusent d'appliquer les décisions du synode et à partir de 1625 la répression cesse, des temples réformés arminiens sont construits, notamment à Amsterdam et Rotterdam.

Dans la deuxième moitié du XVIIe siècle la tolérance se renforce dans les Provinces-Unies, favorisée par l'autonomie des provinces et, en certains endroits, par un taux relativement élevé de familles mixtes. Depuis les débuts de la révolte contre l'Espagne la liberté de conscience est garantie, ce qui n'exclut pas que certaines atteintes y soient portées en période de crise. La liberté de culte est plus limitée et elle apparaît variable d'une province à l'autre. Les municipalités ont tendance à monnayer la tolérance dont elles font preuve. Pour certains pasteurs cette tolérance présente de sérieux inconvénients : la persistance dans la vie sociale de coutumes qu'ils estiment empreintes de « superstitions » : ainsi le rituel d'enterrement difficilement décatholisé au XVIe siècle retrouve ensuite certains éléments folklorisés plutôt catholicisants. Mais la volonté d'un encadrement religieux des croyants plus ou moins imposé par l'autorité est, en général, minoritaire. Une autre conception imprègne de plus en plus la vie sociale, celle d'une libre relation entre l'être humain et Dieu.

Certes l'appartenance à une confession minoritaire, une dissidence protestante, le catholicisme ou le judaïsme se marquent par certaines limitations civiles : l'impossibilité de l'accès à la fonction publique et l'exclusion de l'assistance publique. Néanmoins les Provinces-Unies apparaissent alors comme un lieu étonnant de liberté. En 1673 un colonel commandant à Utrecht l'armée de Louis XIV écrit à un correspondant que, dans ce pays étrange, un grand nombre de religions « ont une liberté entière de célébrer leurs mystères et de servir Dieu comme il leur plaît... Outre les Réformés il y a des catholiques romains, des luthériens, des brownistes, des indépendants, des arminiens, des anabaptistes, des trembleurs, des libertins, des juifs, et d'autres enfin que nous pouvons appeler des chercheurs, parce qu'ils cherchent une religion et n'en professent aucune de celles qui sont établies ». Une telle liberté n'est pas sans risque : ainsi on pouvait soupçonner les catholiques d'être pro-espagnols puis pro-français. Mais quand Louis XIV envahit les Provinces-Unies (1672) ils se montrent attachés à leur pays, prouvant ainsi la solidarité de cette société pluraliste.

Modernité et révolution en Angleterre

En 1603, Jacques VI d'Ecosse devient aussi roi d'Angleterre sous le nom de Jacques Ier (il régnera jusqu'en 1625) et y implante la dynastie des Stuarts. Craignant dans son nouveau royaume la contagion de l'exemple écossais où la disparition de l'épiscopat a fragilisé la monarchie, il développe des théories absolutistes. L'absolutisme protestant apparaît comme une extension de la prédestination au domaine de l'Etat : le roi est de droit divin. C'est aussi en Angleterre, comme en France, la recherche d'un pouvoir fort capable d'assurer un ordre stable après les troubles du xvie siècle.

Roi-théologien, Jacques Ier énonce trois grandes idées dans ses écrits :

— la valorisation de la Bible (dont il supervise la traduction désormais autorisée, publiée en 1611) qu'il interprète à sa façon, notamment en mettant en avant la figure du roi-prêtre : David ; la charge royale concerne et le domaine civil et le domaine ecclésiastique ;

— l'observation de ce qui est indifférent au salut n'est pas un choix individuel libre mais une discipline commune imposée par l'Etat ; ainsi les vêtements distinctifs du clergé constituent une nécessité sociale (ceci contre les puritains) ;

— le rapport à la loi, symbolisé par la figure du roi-législateur : Salomon ; le prince n'est redevable de son pouvoir qu'à Dieu (contre le Parlement).

Et pour Jacques Ier (auteur de la célèbre expression « *no bishop, no king* ») l'épiscopat et la couronne sont deux institutions qui se soutiennent l'une l'autre. Sous son règne et sous celui de son fils Charles Ier (1625-1649), le problème de l'épiscopat est l'objet d'un débat national.

Si dans la seconde moitié du xvie siècle la transmission de doctrine apparaissait comme plus essentielle que la succession apostolique, au début du xviie siècle cette dernière prend de plus en plus d'importance. Le recrutement des évêques s'effectue d'ailleurs de façon assez réformiste (la plupart du temps sont nommés, à partir de 1625, des roturiers d'assez modeste origine). Ils prennent, à la suite de l'archevêque de Canterbury William Laud (1573-1645), des postes dans l'Etat et augmentent les pouvoirs de juridiction des cours épiscopales. Le cérémoniel de l'Eglise d'Angleterre se rapproche alors du catholicisme notamment par le déplacement de l'autel à nouveau séparé des fidèles (ce qui fait craindre un retour à la transsubstantiation). Par ailleurs Charles Ier poursuit une politique d'accommodement avec Rome.

Issus notamment de l'ancienne communauté d'exilés dans le continent et des traces laissées par la prédication, au XIVᵉ siècle, de Wycliffe et des Lollards, les presbytériens constituent, au départ, une tendance puritaine (voulant une *religio purissima*) de l'Eglise d'Angleterre. Ils souhaitent des évêques ayant un pouvoir administratif (sorte de superintendants) et soumis à des décisions de synodes. Ils veulent l'égalité des pasteurs, ce qui les fait soupçonner d'irrespect envers l'ordre social, et valorisent le rôle d'ancien pour rendre la discipline ecclésiastique moins laxiste et plus proche des gens. Ils veulent aussi diminuer le cérémoniel et déplorent l'indigence de beaucoup de prédications.

Ils diffusent d'ailleurs leurs idées de cette manière. Les pasteurs anglicans se montrent peu qualifiés pour prêcher et des évêques endettés vendent à des prédicateurs — provenant notamment de l'Université de Cambridge où le puritanisme est vivace — le droit de prêcher (le pasteur de la paroisse se contentant alors de l'office liturgique). Une grande partie des paroissiens se montre avide d'apprendre et écoute avec passion des sermons qui dissertent à la fois sur les vérités religieuses et le cours du monde. Des petits seigneurs ruraux et la classe moyenne des villes soutiennent en général les presbytériens et dans l'Angleterre du Sud et de l'Est la partie inférieure de la classe moyenne et les élites populaires ont tendance à être structurées par les prédications puritaines.

Au départ ces puritains ne sont pas séparatistes. Mais les tribunaux épiscopaux excommunient parfois pour des raisons non morales et considérées comme des vétilles par beaucoup de gens. Les personnes de tendance puritaine, souvent, ne règlent pas l'amende et une évolution de fait se produit parfois vers un certain congrégationalisme qui renoue avec celui du XVIe siècle.

La première révolution anglaise — le terme est de Guizot, à l'époque on parle de « nouvelle Réformation » — est amenée par un schisme interne aux classes dirigeantes et possédantes. L'exaspération religieuse due à l'évolution de l'Eglise d'Angleterre sous Laud et à la politique de Charles Ier y joue un grand rôle. C'est d'ailleurs le rétablissement de l'épiscopat en Ecosse qui provoque d'abord une révolte dans ce pays (1638). A court d'argent, le roi convoque le Parlement (Court Parlement, puis Long Parlement) tandis que la rue de Londres s'agite. En 1642 la guerre civile éclate. Face au danger que représentent pour l'ordre les émeutes populaires, Charles Ier tente en vain de jouer la solidarité des possédants. Les notables du clan parlementaire et leurs soutiens rompent cette solidarité et le peuple les appuie. Selon C. Hill les progrès du puritanisme ont constitué un ciment interclassiste. A Londres les petits patrons puritains ne craignent pas leurs apprentis auxquels ils apprennent à lire après dîner tout en leur inculquant leurs idées religieuses et politiques. Celles-ci traduisent dans les faits la théorie protestante de la résistance constitutionnelle : les magistrats inférieurs sont révoltés au nom de Dieu et avec son appui. Mais comme dans toute révolution les événements s'accélèrent et la situation se radicalise rapidement.

En 1643 les partisans (presbytériens) du Parlement convoquent une Assemblée à Westminster à laquelle participent les prebytériens écossais. Elle rédige les *Trente-trois articles* (qui constitueront, jusqu'en 1910, le texte fondamental de l'Eglise d'Ecosse). L'épiscopat est aboli. Une Eglise nationale d'Etat est cependant maintenue contre l'avis d'une minorité de puritains indépendants pour qui l'Eglise est formée par un pacte (covenant) entre chrétiens adultes et capables de rendre compte de leur foi. Une sévère épuration est mise en route. Trois mille pasteurs — considérés comme « ignares » et « indignes », et peut-être aussi jugés trop royalistes — se trouveront privés de leurs bénéfices. La prédestination, qui valorise la militance religieuse aux dépens de la « bonne naissance », est affirmée de façon stricte.

Minoritaires à Westminster et au Parlement, les indépendants sont nombreux dans l'armée d'Olivier Cromwell (1599-1658) où des prédicateurs les galvanisent par leurs sermons. Cette armée de paysans, au début inférieure à l'armée de métier royale, devient idéologiquement mobilisée et disciplinée. Il faut obéir à la loi de Dieu : celui qui viole une femme est pendu, on doit payer le grain que l'on prend et prêcher à la population de la région où l'on se trouve. Ce lien avec le peuple permet de ne laisser qu'un petit nombre de soldats dans les régions que l'on contrôle.

Cromwell gagne à Naseby (juin 1645). Le Parlement cherche alors un compromis avec le roi. Mais les agissements de ce dernier le font considérer comme félon. A la fin de 1648 l'armée s'empare de sa personne et arrête certains parlementaires. Charles Ier est mis à mort, après un rapide procès, le 30 janvier 1649. Les presbytériens protestent, en vain, contre cette exécution, acte religieux autant que politique (on a tué le représentant temporel de Dieu) et qui opère deux grandes transgressions :

— il ne s'agit pas d'un assassinat mais d'un acte juridique prétendant à la légalité ;
— le fils de Charles Ier (le futur Charles II) n'est pas proclamé roi à la place de son père. Ce n'est pas seulement le roi mais le principe monarchique lui-même qui est mis à mort.

Ce régicide légal, le premier en Europe, provoque une grande émotion sur le continent, parmi les diverses couches des populations. Pour les catholiques c'est une confirmation éclatante du caractère séditieux du protestantisme. Dans sa *Défense du peuple anglais*, John Milton affirme que la Bible met des limites à la soumission politique et fait du peuple la source du pouvoir.

La révolution anglaise est aidée par un changement de conceptions sur l'eschatologie. Au XVIe siècle on voyait la fin du monde et le retour du Christ comme une rupture dans l'enchaînement des événements humains. Dans le XVIIe siècle anglais on insiste sur la période transitoire de mille ans (le millénium) où, en continuité avec l'histoire, la « vraie Eglise » triomphe progressivement. La victoire du puritanisme en Angleterre marque le début du millénium. C'est un changement considérable de mentalité. Jusqu'alors l'histoire était décadence et la norme ce qui remontait à la nuit des temps. Le nouveau ne pouvait être que dégradation de l'ancien. Maintenant l'idée de progrès émerge. L'histoire future dépend de l'action présente : on peu hâter le millénium, tel est le sens des sermons prêchés pendant la révolution.

Le puritanisme engendre, dans son aile gauche (les *levellers*, les *ranters*, etc.), une véhémente critique sociale qui profite de l'établissement temporaire d'une grande liberté de prédication. « Lorsque Adam bêchait et Eve filait, qui donc était gentilhomme ? » se demande-t-on. Les « cieux » qui doivent s'écrouler selon la Bible sont les « supérieurs » (expression courante alors) et la « terre » qui doit se lever est le peuple. Une société sans autorité serait un grand progrès spirituel. Certaines tentatives de distribution de terres sont effectuées.

Si cet égalitarisme est combattu par Cromwell,

une idée émerge socialement et va avoir un large impact : chacun n'est pas seulement la partie d'un ensemble social hiérarchisé. C'est un « individu ». Et comme la liberté est, jusqu'alors, liée à la propriété, l'individu est déclaré libre parce qu'il est propriétaire de sa personne et de ses capacités. Dieu a créé l'homme indépendant de la volonté d'autrui.

Cette dislocation des liens féodaux est en affinité avec le développement de congrégations indépendantes, constituées par l'adhésion volontaire d'adultes libres. Souvent les congrégations qui se forment sont composées de laïques, dont la plupart sont, bien sûr, analphabètes. Ils rédigent un pacte entre « régénérés » et élisent un pasteur auquel ils demandent d'être un modèle de vie et de piété et un éloquent prédicateur. L'angoisse amenée par le calvinisme qui avait interdit les recours à la magie blanche — guérisseurs, sorciers, exorcismes, prières aux saints, pèlerinages à but thérapeutique, etc. — est endiguée par ces créations de petites communautés chaudes. L'entraide fraternelle est forte : on se réunit autour du lit des malades, on demande à celui qui en a la capacité de prier Dieu pour sa guérison, etc. Est ainsi obtenu un équivalent spirituel de la manière dont les sorciers chrétiens extirpaient un mauvais sort. Chaque congrégation exerce elle-même son propre gouvernement mais des relations chaleureuses, amicales existent entre les diverses congrégations.

Les indépendants attirent vers eux l'aile gauche des intellectuels et une partie des membres des classes populaires. D'autres en sont exclus par impossibilité d'expliciter leur foi et d'avoir un comportement de régénéré. L'indépendantisme, cependant, regroupe des gens différents. Il est l'ancêtre d'un protestantisme de type évangélique et aussi d'un protestantisme assez rationaliste : les expériences spirituelles vont dans des sens fort divers. D'ailleurs on adore les grandes discussions théologiques. Mais, à la longue, des scissions se produisent entre partisans et adversaires du baptême des enfants (pédobaptistes et baptistes), entre les partisans du ministère pastoral et ceux, comme les quakers, qui le suppriment.

La politique de Cromwell tente d'instaurer une liberté religieuse et de propagande. Une sorte d'Eglise nationale pluraliste (elle comprend les presbytériens et une partie des indépendants) est instaurée. Elle dispose d'une certaine autonomie face au pouvoir. Le puritain John Milton — conseiller écouté de Cromwell — théorise, dans ses écrits, les droits de toute pensée, même aberrante en apparence. Il exprime l'idée neuve qu'une vérité réprimée peut ne jamais réapparaître dans l'histoire. La parabole de l'ivraie est souvent citée comme base scriptuaire de la tolérance.

L'Angleterre mêle alors ferveur religieuse et laïcisation. L'instauration d'un mariage civil d'après la législation de Moïse est un exemple de cette ambivalence. L'idée maîtresse est que l'Eglise n'étant pas de ce monde, ses armes doivent être avant tout spirituelles. Certes elle doit admonester ses fidèles mais cela n'a de sens que si le fidèle est persuadé de sa faute. L'excommunication ne doit donc pas avoir de conséquence civile. La contrainte ne peut gagner les âmes à Dieu.

Mais un minimum d'ordre public ne doit-il pas se trouver garanti ? Question importante. Si James Nayler qui commet le blasphème absolu en déclarant être le Christ n'est pas mis à mort, le tribunal — contre le vœu de Cromwell — lui fait couper la langue. Plus généralement, que faire quand les « trembleurs », les quakers, affirment que Dieu leur ordonne de créer du désordre dans les services religieux des autres dénominations ? Quelle attitude prendre face à un prédicateur qui prêche nu ? En général l'autorité réagit avec modération : on arrête les « illuminés » qui risquent de se faire lyncher par la foule ; on les relâche au bout de quelque temps.

Pendant près de dix ans — fait unique en Europe — les presses anglaises impriment pratiquement sans aucun contrôle ; « hérésies » et utopies fleurissent et des textes contestataires se diffusent sur le continent. Cette grande tolérance est paradoxalement possible, grâce au fait que le radicalisme social a été contenu, que le pouvoir de Cromwell est consolidé (il devient Lord Protecteur en 1653) et qu'il existe un certain consensus dans les classes dirigeantes. D'autre part, cette liberté est accompagnée de mesures d'austérité morale qui ont pour but de créer une situation convenable pour le millénium.

La lutte contre l'ivrognerie, la suppression des maisons de passe, le respect du sabbat, le refus de la danse et du théâtre licencieux ont donné aux puritains une réputation durable du rigorisme. Il faut cependant comprendre ce qui était combattu. Ainsi des peines sévères ont frappé l'adultère, elles allaient dans le sens d'une volonté de remplacer, pour les classes supérieures, le mariage d'intérêt par l'union monogame fondée sur l'amour réciproque et la gestion commune des affaires familiales. Elles constituaient aussi une mesure de protection pour les femmes des classes populaires, rendues enceintes par des hommes qui les abandonnaient et qui n'avaient alors d'autres solutions que l'infanticide.

La mort du Lord Protecteur (1658) et son remplacement par son fils Richard ramènent la confusion. Les presbytériens qui avaient mené la révolution, au profit des indépendants, effectuent maintenant la restauration de la royauté, au profit des anglicans. Charles II — le fils de Charles Iᵉʳ — devient roi en mai 1660.

Une très large amnistie politique cherche à obtenir une réconciliation nationale. Mais le nouveau Parlement, très anglican, ne prend pas les mesures d'apaisement religieux que souhaite le roi. Environ 2 000 pasteurs doivent quitter leur paroisse, des assemblées sont proscrites. L'épiscopat et les vêtements liturgiques sont rétablis. Le terme d'Eglise d'Angleterre désigne désormais non seulement une localisation géographique mais une position confessionnelle qui exclut, outre le non-conformisme sectaire, également les presbytériens. Ces derniers doivent être réordonnés pour pouvoir bénéficier d'une prébende. Cette mesure interne crée une séparation entre l'anglicanisme et les Eglises réformées du continent qui n'ont pas d'épiscopat.

Les anciens indépendants, les dissidents *(dissenters)* disparaissent, entrent en clandestinité, ou souvent résistent en spiritualisant leur message. John Milton, l'ancien conseiller de Cromwell, amnistié, médite sur la chute d'Adam et écrit *Le Paradis perdu*, une des plus belles œuvres de la poésie universelle. Un prédicateur baptiste itinérant, ancien contestataire social, John Bunyan (1628-1688), étonnant conteur, rétameur de casseroles de son métier, effectue plusieurs séjours en prison. Il y écrit *Le voyage du pèlerin*, où il raconte les tribulations d'un personnage appelé « Chrétien » qui chemine de ce monde vers celui qui va venir. Le livre fondé sur la théologie de la grâce et de la régénération comporte une description allégorique détaillée des combats de la sanctification. Il a obtenu un succès considérable comme ouvrage de piété familiale dans l'ensemble du monde protestant, de la Scandinavie aux Etats-Unis d'Amérique jusqu'au début de ce siècle.

Contre Charles II, catholique *in pectore*, et son alliance avec la France, le *Test Act* de 1673 oblige tout titulaire d'office royal, entre autres, à communier aux sacrements de l'Eglise d'Angleterre et à souscrire à une déclaration contre la transsubstantiation. Cela exclut de fait les catholiques et ceux des dissidents qui refusent la communion occasionnelle. Ce dernier problème va d'ailleurs se manifester de façon récurrente : des dissidents, qui acceptent la communion occasionnelle quand elle apparaît comme le rappel d'une certaine unité protestante (situation après la « Glorieuse Révolution), ont tendance à la refuser quand elle est d'abord une nécessité pour obtenir certaines charges (ce sera de nouveau le cas avec la reine Anne en 1702).

Le développement d'un actif parti catholique à la cour, puis l'arrivée sur le trône du catholique Jacques II (1685) amènent la reviviscence d'un « antipapisme » militant. On craint que la Révocation de l'Edit de Nantes en France ne soit suivie d'une reconquête catholique en Angleterre. Dans ce contexte la *Déclaration d'indulgence* de 1687, où le roi suspend de fait le *Test Act* de 1673 au profit d'une large tolérance, n'a pas les résultats escomptés. La couronne veut prendre appui sur les catholiques et les dissidents. Mais les faveurs accordées aux premiers poussent ces derniers à une alliance avec les anglicans. La crainte d'un « despotisme catholique » s'allie aux sentiments anti-Stuart et anti-absolutistes. Guillaume d'Orange débarque en novembre 1688. Le navire de ce calviniste bon teint à pour devise : « La religion protestante et les libertés d'Angleterre ». Le mois suivant Jacques II s'enfuit de Londres. La « populace protestante » pille les chapelles catholiques. Guillaume (III) et Marie sont couronnés conjointement en avril 1689. La « Glorieuse Révolution » est définitivement victorieuse grâce à la bataille de la Boyne en Irlande (juillet 1690) où s'illustrent les réfugiés huguenots.

La seconde révolution anglaise apporte ensemble le parlementarisme et une certaine tolérance religieuse. La *Loi sur la tolérance* (mai 1689), contrairement à la *Déclaration d'indulgence* de 1687, est votée par le Parlement. Elle donne une liberté, partielle mais consistante, aux dissidents (les trois principales branches du non-conformisme anglais — presbytériens, congrégationalistes, baptistes — signent en commun en 1691 les *Articles d'agrément*, entente théologique précaire mais alliance plus durable pour la défense de leurs droits). La centaine de milliers de catholiques d'Angleterre pourront, de fait, pratiquer assez tranquillement leur religion mais restent privés de leurs droits politiques et de l'accès aux emplois publics.

Malgré ses insuffisances, la Glorieuse Révolution d'Angleterre et la monarchie constitutionnelle qu'elle instaure apparaîtront à beaucoup de novateurs et de libéraux, notamment dans la France du XIXᵉ siècle, comme la preuve de la capacité du protestantisme à créer un régime de liberté politique et religieux. Mais on avait tendance à passer sous silence alors le revers de la médaille : la colonisation anglaise et protestante en Irlande.

En 1541, Henri VIII avait été proclamé roi d'Irlande par le Parlement de Dublin. Mais l'assimilation de ce pays à l'Angleterre se heurte à la volonté tenace des Irlandais de rester catholiques. Les oppositions ethniques — Celtes contre Anglo-Saxons — et surtout religieuses amènent des révoltes qui sont réprimées avec cruauté. *L'Acte de pardon* de Jacques Iᵉʳ est suivi de l'implantation de colons protestants sur une grande échelle. Des presbytériens écossais, très hostiles au catholicisme, et en butte chez eux à de fortes tracas-series royales, s'établissent alors en Ulster. Un massacre de colons protestants, en novembre 1641, fait rebondir le problème. Cromwell et son armée débarquent en Irlande en 1649. Persuadés que la victoire du protestantisme anglais sur le catholicisme irlandais est un des signes du millénium, ils font preuve d'une grande brutalité et commettent les massacres de Drogheda et de Wexford. *L'Acte de pacification* en 1652 est suivi de nombreuses expropriations de terres. Les propriétaires irlandais catholiques possèdent 59 % des sols en 1641 ; ils n'en ont plus que 22 % en 1688. Le soulèvement irlandais en faveur de Jacques II au début du règne de Guillaume III et de Marie est, nous l'avons vu, vaincu malgré l'appui d'un corps expéditionnaire français. Les *Capitulations de Limerick* garantissent aux Irlandais la liberté religieuse mais, de diverses manières, la dépossession du sol continue. Les propriétaires irlandais catholiques n'ont plus que 14 % du sol en 1703 et 5 % en 1778. Devenus fermiers de leurs anciennes terres, plus ou moins à la merci des colons anglais protestants auxquels les oppose un antagonisme religieux irréductible, ils vivent de façon assez misérable jusqu'aux réformes du XIXe siècle.

Le protestantisme en Amérique anglaise

La première implantation du culte protestant date de 1585 en Caroline du Nord mais elle ne dure que quelques mois. En 1607 des anglicans arrivent en Virginie et se mettent à coloniser les abords de la rivière James. Ils convertissent certains Indiens et les Noirs qui commencent à arriver en 1619. Leur Eglise, qui dépendra théoriquement de l'Eglise d'Angleterre, s'installera aussi dans les deux Carolines et, au XVIIIe siècle, en Géorgie.

Mais c'est en 1620 que se produit la véritable fondation mythique de l'Amérique avec les Pères pèlerins du *Mayflower*. Ces puritains congrégationalistes, après s'être réfugiés pendant douze ans à Leyde, ont craint que leur postérité ne devienne hollandaise. Débarquant sur la côte du cap Cod, ils fondent New Plymouth et subissent épidémies et famine. L'hospitalité des Indiens aide quelques dizaines d'entre eux à survivre. Une seconde vague d'émigration, numériquement plus importante, commence en 1630 sous Charles Ier. Ces nouveaux puritains, de condition sociale relativement aisée, s'établissent dans la baie du Massachusetts.

Les puritains de la Nouvelle-Angleterre se considèrent généralement comme le peuple élu de Dieu, reprenant pour leur bénéfice exclusif la tradition chrétienne qui fait de l' « Eglise » le « Nouvel Israël », la continuatrice du peuple hébreu de l'Ancien Testament. Pour eux, l'Amérique est la « Nouvelle Jérusalem », le refuge choisi par Dieu pour ceux qu'il veut préserver de la corruption. Les Indiens, au contraire, représentent les restes d'une « race maudite » que le « Démon » a conduite dans ce territoire afin de pouvoir la gouverner tranquillement. De telles idées permettent de justifier les spoliations que les colons font subir aux indigènes.

Les puritains organisent leurs communautés sur un modèle congrégationaliste. L'Eglise est considérée comme le centre de la vie religieuse, politique et sociale. Pour être membre de la congrégation il faut raconter publiquement sa « conversion » et être élu par les autres membres. La communauté choisit en son sein son pasteur qui n'a pas de supérieur ecclésiastique. La majorité des habitants de la cité fréquente l'Eglise sans en être membre et donc sans bénéficier des droits de citoyen. Ce système est cependant abandonné à la fin du XVIIᵉ siècle où tout homme qui est propriétaire ou possède un petit revenu devient apte à voter. Cela a été favorisé par la création de nombreuses écoles et collèges comme celui de Harvard (créé en 1636) et où se formèrent notamment des pasteurs.

En 1648 le synode de Cambridge ratifie la *Confession de foi de Westminster*. Les puritains exercent un contrôle étroit sur la vie publique des colons, interdisant toute activité le dimanche et imposant la sobriété vestimentaire. Mais ils se sont également montrés ouverts à la culture, comme en témoignent les noms du pasteur Michael Wiggelsworth, poète populaire pour son tableau du *Jugement dernier* (1662) et de la poétesse Anne Bradstreet. Et contrairement à une légende ils n'ont pas adopté les vues juridiques du pasteur de Boston, John Cotton, partisan de la loi mosaïque, mais celles de John Winthrop plus souples et s'inspirant de l'Epître aux Romains.

Les puritains se servent cependant du magistrat pour condamner ceux qui leur paraissent hérétiques. Parfois la dissidence religieuse s'accompagne de pratiques anarchisantes comme chez Déborah Wilson qui prêche nue dans les rues. En d'autres occasions il s'agit de procès de sorcellerie, comme celui, resté célèbre, de Salem en 1692. Une sorte d'inquisition est temporairement établie et 19 personnes sont mises à mort. Dès 1652, John Clark avait retracé les épreuves subies par les dissidents dans son *Histoire des persécutions de la Nouvelle-Angleterre*.

Mais le puritanisme inculque aussi l'esprit de résistance à ses membres en rupture de ban. Certains de ses adeptes préfèrent un second exil à la soumission. Roger William (1600-1684) défend « deux hérésies » : la première affirme les droits des Indiens, la seconde dénie au magistrat des pouvoirs de répression ecclésiastique. Il fonde le Rhode Island, berceau du baptisme américain, asile de la liberté religieuse et tentative de séparation de l'Eglise et de l'Etat. Son ouvrage principal *La doctrine sanguinaire de la persécution pour des raisons de conscience* (1644) insiste sur les variations dogmatiques depuis les débuts du christianisme, critique le constantinisme, rejette toute coercition religieuse. Il affirme, élément novateur, que la liberté religieuse peut exister en même temps que des contraintes civiles. Il utilise l'image d'un bateau où les passagers sont libres de leurs activités et où l'équipage doit exécuter certaines tâches sous peine de châtiment puisque leur non-exécution mettrait la vie de tous en danger.

En 1682, d'autre part, William Penn (1644-1718), disciple de Georges Fox (1624-1690), le fondateur des quakers et qui avait adouci les doctrines de son maître (les « lumières intérieures » perdent leur caractère « enthousiaste » et très agressif vis-à-vis des Eglises pour se rapprocher de la raison et de la conscience) fonde la Pennsylvanie. Sa constitution garantit la liberté religieuse, favorisant l'immigration de dissidents divers, baptistes, frères moraves, mennonites, notamment. L'amitié des tribus indiennes est recherchée. La capitale Philadelphie (« la ville de l'amour ») est construite de telle manière que chaque famille ait une parcelle égale pour sa demeure.

Bien que le refus de participer à la défense commune de la Nouvelle-Angleterre menacée par les Français du Canada ait rendu les quakers — adeptes de la non-violence — impopulaires, Guillaume III accepte de les dispenser du port d'armes et du serment. Ainsi des doctrines socialement très perturbatrices commencent à être prises en considération à cause de leurs motivations religieuses.

Puritanisme et capitalisme

Dans son célèbre ouvrage *L'éthique protestante et l'esprit du capitalisme*, M. Weber analyse l'influence du protestantisme — et spécialement du puritanisme — sur le développement de l'esprit capitaliste. Bien que d'autres civilisations aient connu un capitalisme commercial analogue à celui du Moyen Age européen, l'organisation rationnelle et formellement libre du travail (c'est ainsi que M. Weber définit le capitalisme plus que par l'appropriation privée des moyens de production), qui débute au XVIe siècle et se développe au XVIIe siècle, est relativement spécifique à l'Occident. Le développement de ce rationalisme économique dépend de techniques rationnelles mais aussi de la capacité des êtres humains à adopter certains types de conduite. C'est à ce niveau que l'éthique protestante joue un rôle.

Luther accomplit le premier pas : il déplace la notion de salut et la fait sortir des cloîtres. Calvin et le calvinisme éliminent plus radicalement que la Réforme luthérienne le mysticisme et le ritualisme. La doctrine de la prédestination, notamment, crée une inquiétude. Comment savoir si on est élu ou damné si les bonnes œuvres ou la piété ne permettent pas de faire son salut ? L'énergie va avoir tendance à se trouver employée dans l'activité professionnelle et la réussite va être interprétée comme une bénédiction de Dieu (et donc un signe visible de l'élection). Mettre sa foi à l'épreuve de sa vie professionnelle est une manière de s'assurer de son état de grâce.

A lire les documents puritains du XVIIe siècle : sermons, lettres, journaux, lois et comptes rendus de procès, etc., on constate, non que les normes proclamées ont été forcément suivies, mais qu'elles ont bel et bien été adoptées comme nouvelles normes, créant un type d'homme et une vision du monde. Ainsi les prédications condamnent l'oisiveté dans la possession, la jouissance de la richesse, non la recherche de biens terrestres par le travail. La dénonciation ascétique des dangers de la richesse aboutit à une obligation religieuse de l'enrichissement, à un mode de vie favorisant l'investissement.

Il existe une éthique puritaine, et plus largement protestante, de la frugalité qui conduit à adopter un mode de vie plutôt en deçà de ses ressources, de sa fortune. Le luxe, l'apparat, les excès vestimentaires, l'ostentation dans la manière de vivre sont considérés comme inconvenants alors même que le travail et l'effort sont valorisés. Mais le but du travail n'est pas seulement l'acquisition de richesses. C'est aussi la recherche d'une primauté, d'une « excellence » qui serait le véritable luxe protestant. Comme l'indique Jean Schlumberger, écrivain pétri d'éthique calviniste, dans les années 1930 : « Une seule chose importe, c'est que chaque vie excelle en un point, qu'elle ait son luxe, qu'elle pousse l'une quelconque de ses dispositions ou de ses vertus au-delà de ce qui est courant, facile et tout donné. »

Il ne s'agit donc nullement d'une volonté de mortification. Plutôt d'une morale très spécifique où l'humilité peut côtoyer le risque d'orgueil spirituel. Le puritain vêtu de noir refuse les couleurs chatoyantes qui lui semblent un masque apte à tromper les autres et soi-même, il affirme la supériorité de l'être sur le paraître. De même l'insistance sur le péché originel et la forte conviction de l'indignité humaine n'empêchent pas le huguenot de tutoyer Dieu et de ne pas se découvrir au temple. Du XVIe au XVIIIe siècle, les testaments protestants, comme les catholiques, recommandent leurs auteurs à Dieu et insistent sur la rédemption par les mérites du Christ mais, au contraire de ces derniers qui comptent sur l'appartenance à l'Eglise et l'intercession de la Vierge et des saints, ils contiennent une demande directe, formulée presque comme un dû, d'admission à la vie éternelle.

C'est dans cet ensemble de différences de comportement qu'il faut examiner la question du prêt à intérêt. Certains théologiens protestants ont affirmé que les positions des Eglises étaient équivalentes, Calvin lui-même condamnant l'usure et estimant que les prêts consentis aux pauvres devaient se faire sans intérêt. Certes la condamnation morale de l'usurier tirant parti de la misère d'autrui subsiste effectivement. Mais Calvin légitime, par contre, le prêt de production destiné, non à satisfaire un besoin vital, mais à permettre à celui qui emprunte de tirer profit, tout comme le prêteur, de l'argent prêté. Voilà une mutation culturelle : dans la société puritaine on prête aux riches, comportement impensable au Moyen Age.

Il ne faut donc pas envisager l'affinité entre éthique protestante et esprit du capitalisme à partir d'un *a priori* moral ou en croyant que le comportement protestant s'est avéré conservateur. C'est, au contraire, par leurs innovations, voire par leurs affirmations révolutionnaires (dire, par exemple, que l'individu est propriétaire de son propre corps et de ses capacités, c'est lui donner la possibilité de vendre sa force de travail), que les protestants, et spécialement les puritains, ont contribué à la création du capitalisme. Dans le même mouvement se sont d'ailleurs développées à l'époque des formes nouvelles d'organisation capitaliste et des formes nouvelles d'organisation politique démocratique. Conjonction pas forcément éternelle mais en tout cas historique.

CHAPITRE IV

DIFFICULTÉS ET RENOUVEAU

Dès ses débuts la Réforme, triomphante dans certains pays, s'était trouvée étouffée dans d'autres. L'Espagne avait compté bien des partisans des idées nouvelles, mais au prix de milliers de victimes, l'Inquisition avait réussi à maintenir l'unité catholique. En Italie, au ralliement de la communauté vaudoise à la Réforme (Synode de Chamforan, 1632) (1) s'ajouta son extension dans le Sud, elle aussi contrée victorieusement par l'Inquisition. Certains propagandistes comme Fausto Sozzini (1539-1604), adepte d'une théologie antitrinitaire, s'opposaient autant aux courants principaux du protestantisme qu'au catholicisme. Le socinianisme eut un succès certain en Pologne à la fin du XVIᵉ siècle. Il sera interdit au milieu du XVIIᵉ siècle et ce pays deviendra une citadelle avancée de la papauté.

Au milieu du XVIᵉ siècle le catholicisme a opéré une réforme interne. Le Concile de Trente a précisé la doctrine dans un sens éloigné de tout rapprochement avec le protestantisme. La fondation de la Compagnie de Jésus a amené une militance nouvelle. Ce renouveau catholique va être efficace à la fin du XVIᵉ siècle et surtout au XVIIᵉ siècle, marqué par une

(1) La communauté vaudoise est issue de l'action de Pierre Valdo, laïque lyonnais qui à la fin du XIIᵉ siècle a voulu réformer l'Eglise.

tentative de « reconquête du terrain perdu ». En divers endroits le protestantisme se trouve dès lors en difficulté. La différence de situation acquise l'amène à des réactions fort dissemblables dans l'Empire et en France.

La guerre de Trente Ans
et ses conséquences

La tentative de reconquête catholique des pays de langue allemande était partie, dans la deuxième moitié du xvie siècle, de la Bavière, grâce aux Jésuites. De là, l'ordre tenta d'atteindre l'ensemble de l'Allemagne du Sud et les pays rhénans.

Au début du xviie siècle les partis confessionnels se renforcent et se préparent à de nouvelles hostilités. *L'Union évangélique* (1608) groupe la majorité des territoires protestants (réformés et luthériens) et la *Sainte Ligue* 1609, créée par Maximilien de Bavière, a l'appui du pape et de l'empereur. Une guerre générale est proche. *L'Union évangélique* négocie une alliance avec Henri IV qui, malgré son abjuration, mais dans la logique d'une politique anti-espagnole, semble prendre le parti du protestantisme. Cela n'est pas pour rien dans son assassinat par Ravaillac.

Quelques années plus tard l'accession au trône de Bohême de Ferdinand de Styrie (qui deviendra empereur en 1619 sous le nom de Ferdinand II), disciple des Jésuites, enclenche le processus de guerre. En 1618 les hostilités commencent après la défenestration de Prague (23 mai) et le choix par les nobles protestants de Bohême, de Frédéric V, électeur palatin, comme chef de leur union. Les Tchèques sont vaincus en 1620. Les biens confisqués sont donnés à l'Eglise catholique instaurée comme seule religion du royaume. Dans les autres possessions des Habsbourg, la politique très autoritaire de Ferdinand II permet d'obtenir la conversion de ses sujets protestants. Les Jésuites se chargent de la censure.

En Allemagne, le Palatinat est occupé et l'armée de la Ligue catholique parcourt l'Allemagne du Sud. Même en Allemagne du Nord, Ferdinand II remporte des succès, battant Christian IV de Danemark qui défend les intérêts protestants. Il promulgue alors, en 1629, *l'Edit de Restitution* qui annule la sécularisation des biens ecclésiastiques intervenue depuis 1532. Non seulement le protestantisme est gravement menacé, mais la puissance des Habsbourg devient inquiétante pour le reste de l'Europe.

Gustave-Adolphe — roi du petit pays (un million d'habitants) de Suède — va retourner, en deux ans, la situation. Il est aidé par les subsides de Richelieu et surtout fort d'une armée motivée par son ardente piété luthérienne et bien encadrée par des pasteurs. S'il est tué à la bataille de Lutzen (novembre 1632), la victoire a cependant changé de camp.

Les aspects confessionnels du conflit se doublent alors d'un combat pour l'hégémonie européenne entre les Habsbourg d'un côté, les Bourbons de l'autre. Les Français et les Suédois prennent l'avantage dans les années 40.

Les traités de Westphalie de 1648-1649 amènent plusieurs conséquences importantes sur le plan religieux.

Le *cujus regio - ejus religio* est assoupli. L'exercice public de leur confession est reconnu à tous ceux dont le culte était établi en 1624, même si leur confession diffère de celle du prince dont ils sont les sujets. La dévotion privée est admise et la liberté d'émigration sans dommage personnel ni juridique à nouveau reconnue.

Désormais plusieurs territoires vont faire l'apprentissage du pluralisme confessionnel. Dans le Palatinat, l'Eglise réformée est l'Eglise officielle (le calvinisme bénéficie désormais dans l'Empire d'une reconnaissance juridique). Les luthériens jouissent de la liberté religieuse, les catholiques du culte domestique. Dans le Brandebourg, il n'existe pas de religion officielle mais une certaine préséance du luthéranisme, les réformés bénéficient de la liberté religieuse (le Grand Electeur est lui-même calviniste), les catholiques peuvent exercer publiquement leur religion dans certaines régions seulement.

Le principe de l'Eglise territoriale sort renforcé de la guerre de Trente Ans. Dans le luthéranisme les compétences du prince, assisté d'un consistoire supérieur, continuent de s'étendre sur les différents domaines de la vie religieuse, alors qu'au départ elles ne devaient être que temporaires. Le piétisme ne va pas tarder à réagir contre cette mondanisation de l'Eglise.

Les souverainetés particulières voient leur pouvoir étendu face à celui de l'empereur. Au sein de la diète les partis confessionnels subsistent. Le « corps évangélique » et le « corps catholique » siègent à part pour certaines questions.

En définitive, l'Eglise catholique a remporté des succès importants en Bohême, en Autriche et en Allemagne du Sud. Ailleurs, y compris en Hongrie où, devant la résistance, l'empereur doit renoncer à rétablir l'unité confessionnelle, le protestantisme a maintenu ses positions. Mais l'alliance politique entre luthériens et réformés ne se traduit pas par un rapprochement religieux. Les premiers craignent de nouveaux progrès des seconds à leur détriment.

L'Allemagne portera longtemps les durs stigmates de la guerre de Trente Ans. Les combats, les épidémies, les déplacements de population, la sous-alimentation lui ont fait perdre le tiers de sa population. La

piété et la théologie en sont affectées : le désir de péni-
tence et l'expérience de la souffrance vont marquer
la conscience religieuse et favoriser le piétisme.

Orthodoxie et piétisme

Depuis l'avènement de la Réforme, des orthodoxies calvinistes et luthériennes se sont développées.
Un corpus orthodoxe protestant s'est constitué avec
l'Ecriture, la construction dogmatique des premiers
siècles de l'Eglise (les Pères et les grands conciles), le
discours théologique de la Réforme (les Réformateurs sont de nouveaux Pères de l'Eglise et les confessions de foi de nouveaux textes conciliaires). Une
scolastique nouvelle a été mise en œuvre, notamment
dans les multiples universités allemandes. Le risque
est, notamment, la perte du contact direct avec l'Ecriture, même si certains théologiens ont tendance à
attribuer à la Bible l'infaillibilité qu'ils refusent à
l'Eglise.

Les deux orthodoxies se distinguent particulièrement dans les questions concernant le Christ et l'élection. Nous avons vu le calvinisme strict tenir bon la
doctrine de la prédestination. La doctrine de la
consubstantiation amène le luthéranisme strict à insister sur l'ubiquité, même non sacramentelle : le
Christ, après être monté au ciel, continue à être
présent partout, à emplir toute chose, non seulement
en tant qu'il est Dieu, mais aussi en tant qu'il est
homme.

De tels débats technicisent la théologie et risquent
de l'éloigner des aspirations religieuses des « fidèles ».
Celles-ci vont notamment s'exprimer dans le thème
de la passion du Christ. La poésie et la musique
religieuses (avec, notamment, Paul Gerhardt) con-
naissent une phase de grand éclat. Dans le dernier

tiers du XVIIᵉ siècle le piétisme se développe. Il va exercer, à la charnière des XVIIᵉ et XVIIIᵉ siècles, une forte influence.

L'origine du piétisme peut être trouvée dans le puritanisme anglais, avec lequel il présente plusieurs points communs, et dans des courants actifs dans les Provinces-Unies comme celui du théologien allemand Jean Koch dit Cocceius (1603-1669) insistant sur l'aspect progressif de la révélation et du mystique français Jean de Labadie (1610-1674), ancien jésuite devenu pasteur calviniste. Ce dernier rassemble autour de lui, à Utrecht, des groupes pieux, leur enseignant la contemplation béatifique de Dieu.

Le fondateur du piétisme est cependant le pasteur luthérien Philip Jacob Spener (1635-1705), né en Alsace. Premier pasteur de Francfort-sur-le-Main, il réunit chez lui, à partir de 1670, certains de ses paroissiens pour lire la Bible, prier et discuter le sermon dominical. Ces cercles ne tardent pas à être appelés les *collegia pietatis*. Leurs participants sont de plus en plus nombreux ce qui inquiète le magistrat : de telles réunions, sans autorisations officielles, échappent à son contrôle. D'autres groupes semblables se forment malgré certaines accusations de fanatisme et de séparatisme ecclésiastique.

En 1675, Spener rédige les *Pia Desideria* (saints désirs) où, après avoir dressé un tableau sévère de la société luthérienne de son temps, il propose le programme du piétisme. Celui-ci comporte la création dans les paroisses de conventicules analogues aux *collegia pietatis (« ecclesiola in Ecclesia »)* où se développerait une véritable vie spirituelle grâce à la lecture de la Bible, à la pratique du sacerdoce universel et à l'admonestation fraternelle. Spener affirme aussi que l'expérience religieuse personnelle est plus décisive que l'adhésion à un credo : la foi peut sauver même celui qui a une conception déficiente, voire erronée de son salut. Enfin, il met en étroit rapport la justification et la sanctification : la foi justifiante est une puissance qui peut faire mourir l'être humain au péché dès ici-bas. Le pardon peut, cependant, être rendu caduc si un péché reconnu comme mortel n'est pas écarté.

Nommé en 1686 prédicateur à la Cour de Saxe, Spener se brouille avec l'Electeur et accepte, en 1691 un poste de pasteur à Berlin. A sa mort il a écrit plus de 120 ouvrages de théologie. Son mouvement qui ne dispose ni de formulation normative ni d'organisation prend des directions diverses. Cependant depuis la fin du XVIIe siècle il est structuré par Hermann Francke (1663-1727), professeur à l'Université de Halle. Francke fonde des œuvres sociales qui ne tardent pas à prospérer : école, imprimerie, séminaire pour étudiants pauvres, orphelinat, etc., ainsi que le premier institut biblique qui réalise des éditions populaires de la Bible. Sous son influence les milieux piétistes découvrent l'importance des missions. L'Université de Halle forme, au XVIIIe siècle, une centaine de missionnaires dont la plupart se rendent en Inde (traduction du Nouveau Testament en tamil).

La théologie de Halle insiste sur la nécessité d'une « conversion » acquise à travers une crise profonde, marquée par une phase de désespoir et une soudaine effusion de la grâce dont on rend ensuite publiquement compte. Le refus du « monde » s'accompagne d'un christianisme d'action (œuvres, missions). La piété est affective, liée à la félicité ressentie pendant l'expérience de la conversion.

Le piétisme favorise l'individualisme et l'identité nationale prussienne, notamment en influençant des réfugiés huguenots. Il a un succès certain dans l'aristocratie et l'armée (et jouera un rôle dans le soulèvement allemand contre Napoléon en 1813). En Allemagne de l'Ouest, et notamment au Wurtemberg, le piétisme touche durablement le peuple (et, grâce à lui, cette région sera une des moins favorables au national-socialisme). Son chef de file Jean Albert Bengel (1687-1751) allie la fidélité aux croyances traditionnelles et l'audace dans ses méthodes d'exégèse qui, par le recours à la grammaire et à l'histoire, annoncent l'étude scientifique des textes bibliques. Là se développe le projet de la Réforme : donner la Bible au peuple. En Alsace le piétisme est introduit par des étudiants en théologie et favorise le maintien de liens religieux et culturels avec l'Empire malgré l'annexion par Louis XIV.

En 1722, un seigneur saxon piétiste, le comte Nicolas de Zinzendorf (1700-1760) donne asile à un groupe de « Frères moraves », communauté dispersée depuis la recatholicisation de la Bohême par les Habsbourg. Le village de Herrnhut (guet du Seigneur) est construit. Les Frères moraves sont divisés en « bandes » accomplissant des exercices de piété différents suivant leur avancement spirituel. Leur « religion du cœur » est centrée sur le sacrifice expiatoire du Christ, s'émeut de ses plaies, de son sang et insiste sur les joies de l'âme sauvée.

Exilé de Saxe pendant plus de dix ans, Zinzendorf, consacré évêque des Frères (1737), fonde en Europe et en Amérique de nouvelles communautés. Il est reconnu par l'Eglise d'Angleterre et, en 1749, Herrnhut est rattaché au luthéranisme tout en conservant son autonomie. C'est le centre d'un mouvement missionnaire, très longtemps important.

Comme le puritanisme dans les pays anglo-saxons, le piétisme germanique est une contestation contre l'établissement du protestantisme qui remet l'accent sur la nécessité d'une religion personnelle, tout en développant la conscience de devoirs sociaux. Les testaments des piétistes du monde de l'échope, du milieu artisanal, de la bourgeoisie moyenne montrent que d'assez nombreux legs ont une destination diaconale : de l'argent est donné pour les livres, les bourses dans les écoles, etc. L'aspect éducatif, entreprenant, du piétisme l'a amené à être un facteur de novation économique. En Rhénanie du Nord, les fondateurs du bassin de la Ruhr seront des gens marqués par le piétisme. Enfin son attente de la fin des temps lui fait désirer l'entière liberté de culte et la réhabilitation temporelle des juifs.

En France, de l'Edit de Nantes à sa révocation

Nous l'avons vu, *l'Edit de Nantes* était considéré par les réformés français comme un point de départ. Pour les catholiques il ne devait être, au contraire, qu'une concession temporaire. Jusqu'à la mort d'Henri IV ses clauses sont, en gros, respectées. Mais sous Louis XIII la campagne du Béarn, qui impose le rétablissement du catholicisme à ce pays entièrement devenu protestant et écrase son autonomie, amène de nouvelles hostilités. Elles sont marquées par le siège de Montauban (qui est un échec pour Louis XIII), en 1621, et par le célèbre épisode du siège et de la prise de La Rochelle par l'armée de Richelieu. Lors de sa capitulation (octobre 1628) cette ville de 27 000 habitants ne compte plus que 1 500 survivants. Malgré le courage du duc de Rohan (1579-1638) le « parti protestant » est vaincu au printemps 1629. C'est la paix (juin 1629) suivie de *l'Edit de grâce d'Alès* qui confirme les clauses civiles et religieuses de *l'Edit de Nantes* (cela conforte les protestants modérés qui ont refusé de prendre part aux combats), mais supprime tous les « lieux de refuge ». Désormais sans force militaire et politique, les huguenots dépendent entièrement de la volonté royale.

Richelieu souhaite un rétablissement rapide de l'unité religieuse, mais l'existence d'une minorité protestante en France lui est utile dans ses alliances allemandes contre les Habsbourg. Il souhaite, d'autre part, devenir « Patriarche des Gaules » d'une Eglise gallicane qui modifierait certains aspects de son culte et de sa discipline. Dans le nord de la France, plusieurs protestants ne sont pas hostiles à une alliance avec le catholicisme gallican : l'exemple de l'Angleterre indique, selon eux, que la rupture avec Rome constitue le premier pas vers une progressive « protestantisation ». Ces projets continueront jusqu'à la Révocation. Turenne notamment, converti du protestantisme au catholicisme, cherchera à les mettre en œuvre. Bossuet de son côté tente, mais sans grand succès, de présenter la foi catholique de façon acceptable pour les protestants.

Le catholicisme français du XVIIe siècle est, d'ailleurs, en plein renouveau symbolisé par les noms de Bérulle, François de Sales et Vincent de Paul. Ce renouveau accentue certains traits typiquement catholiques comme la mise à part du prêtre, désormais plus instruit et zélé grâce au développement des séminaires, et le développement des missions intérieures où les religieux sont perçus souvent comme des « saints » capables de protéger contre les maux les plus divers. Mais il comporte aussi des aspects assez parallèles au protestantisme comme une certaine intériorisation de la piété et le développement d'un laïcat militant. Le « parti dévot », par ailleurs très antiprotestant, cherche — comme les consistoires réformés — à moraliser le peuple.

Si les Eglises réformées ont officiellement adopté

les décisions du Synode de Dordrecht, de nouvelles théologies se développent en leur sein. Moïse Amyraut (1596-1644), professeur à l'Académie de Saumur, sans sortir du calvinisme, adoucit un peu la présentation de la doctrine de la prédestination : Jésus-Christ est mort pour tous les êtres humains, même si son sacrifice, en fait, n'a racheté efficacement que les seuls élus. Cette relative distinction d'une volonté générale de Dieu et d'un décret spécial de prédestination reçoit le nom d' « universalisme hypothétique ». Malgré certains conflits les synodes refusent de la condamner. Un autre pasteur, Claude Pajon (1626-1685), a une optique psychologisante : ce qu'imprime en chacun la lecture de la Bible ou la prédication est rapproché de « l'illumination intérieure du Saint-Esprit ». C'est refuser la rupture entre la connaissance naturelle et l'acte de foi. Si ce dernier ne se produit pas, la cause peut en revenir simplement aux circonstances. Le pajonisme se développe notamment dans le protestantisme du centre de la France. Selon certains auteurs (Léonard, Chaunu), il ne correspondait guère à la théologie de résistance nécessaire pour une minorité en péril. Il pouvait, au contraire, amener certains réformés à minimiser la gravité d'un passage à la « religion du roi ».

Après quelques années fastes sous Mazarin, sensible à la non-participation des protestants aux Frondes, et surtout recherchant l'alliance avec Cromwell, les temps de la persécution arrivent. La mise à mort de Charles Ier semble prouver le danger de l' « hérésie » protestante. Les huguenots répliquent en affirmant leur loyalisme monarchique. Louis XIV peut croire, alors, qu'ils accepteront de changer de religion, de se « réunir » selon le terme de l'époque, pourvu que leur roi le leur ordonne.

Dans un premier temps, le monarque croit pouvoir

faire l'économie d'une révocation officielle. Pendant vingt-cinq ans, de nombreux édits démantèlent, de fait, *l'Edit de Nantes*. Ils entraînent, sous des prétextes divers, la destruction de nombreux temples et transforment les protestants en marginaux pourchassés, victimes de perpétuelles brimades. De nombreux métiers leur sont interdits. Les missions catholiques partent à la reconquête des terroirs protestants, y provoquant des incidents qui permettent la répression. Un climat général hostile au protestantisme se développe dans le pays et les mariages interconfessionnels, relativement fréquents dans les régions mixtes, diminuent brutalement. Une « caisse des conversions » tente, sans grand succès, d'attirer les protestants, les pauvres notamment, par l'appât du gain.

Le roi et l'Eglise catholique pensent que la population protestante, privée de son encadrement religieux et perpétuellement gênée dans sa vie quotidienne (la mesure la plus grave étant des enlèvements d'enfants de familles bourgeoises pour les éduquer dans le catholicisme), va « se réunir ». Si certains « tièdes » changent effectivement de religion, la majorité résiste d'autant plus que les traitements qu'elle subit lui rendent le catholicisme odieux. Résistance surtout passive : une tentative de célébration du culte sur les lieux des temples détruits (avec Claude Brousson en 1683) ne rencontre qu'un succès limité. Mais « amenuisée, recroquevillée, la Religion Prétendue Réformée laisse passer la tourmente en espérant obstinément des jours meilleurs et sa résignation même nargue le pouvoir » (E. Labrousse).

La situation ainsi créée est d'autant plus intolérable pour Louis XIV qu'en conflit avec le pape (affaire de la « régale », adoption par l'Assemblée du clergé des *Quatre articles* gallicans en 1682) il tient à apparaître comme le champion du catholicisme. Après une première expérience en Poitou (1681) la « grande dragonnade » (printemps-été 1685) et les conversions massives qu'elle impose en terrorisant les protestants, rendent possible la Révocation de *l'Edit de Nantes*.

L'Edit de Fontainebleau (17-18 octobre 1685) oblige les pasteurs soit à se convertir (un cinquième le feront) soit à quitter le territoire sans pouvoir emmener leurs enfants. Il ordonne la destruction des derniers temples debout. Il est interdit, par contre, aux protestants d'émigrer (aspect le plus choquant dans la mentalité de l'époque). Le baptême et le mariage catholiques sont désormais obligatoires pour tous les Français (sauf en Alsace, protégée par le traité de Westphalie, où le protestantisme n'est pas aboli, bien qu'en butte à de sérieuses brimades). Un article de *l'Edit* laisse ouverte la possibilité d'une dévotion privée. Il ne sera pas respecté.

Les institutions réformées (Eglises, écoles, synodes) étant démantelées, le dernier bastion de la résistance huguenote est alors la conscience, le « for intérieur » de chaque protestant. Et pour ceux qui partent clandestinement (250 000 sur environ 1 000 000) survient une dislocation de la grande famille, voire de la famille nucléaire, un désenracinement par rapport aux liens locaux, provinciaux, aux allégeances diverses. Le huguenot du « Refuge » se caractérise par sa mobilité et aussi par sa participation à l'élaboration d'une nouvelle forme de « civisme » dépassant les particularismes. La Révocation entraîne un apport huguenot consistant à la création de l'individu moderne.

La France de l'Ancien Régime sort à la fois renforcée et affaiblie de la Révocation. Renforcée dans le court terme : « pacte social entre la monarchie et l'écrasante majorité catholique (des Français) elle clôt la phase des grandes rébellions pour les masses catholiques... (et) produit un consensus » (E. Le Roy-Ladurie). Affaiblie dans le moyen et le long terme par une perte sensible dans certains secteurs de l'économie (moins, cependant, qu'on ne l'écrit parfois) et par l'échec de l'objectif de la Révocation : uniformiser le pays, recréer une seule catégorie de Français. En fait pour pouvoir continuer de pourchasser les huguenots qui sont restés fidèles à leur foi, on distingue maintenant les catholiques des NC ou « nouveaux convertis ».

Ces derniers acceptent souvent une apparence de catholicisme mais, mettant en œuvre le sacerdoce universel, ils pratiquent le culte familial protestant. De petites assemblées clandestines témoignent d'une résistance plus active. La vie est alors très difficile. Les dragons continuent de sévir. Des enlèvements d'enfants permettent un endoctrinement où l'on inspire de l'horreur pour la religion des parents. L'obligation du mariage catholique entraîne l'augmentation du célibat et la multiplication des concubinages. Le refus de l'extrême-onction est très sévèrement puni : le cadavre est « traîné sur la claie et jeté à la voirie » et les biens sont confisqués. A certains endroits des bûchers s'allument, galères et prisons se remplissent de protestants. *Les Lettres pastorales* envoyées du Refuge (notamment celles de Jurieu violemment anti-absolutistes) constituent une littérature d'opposition. Une communauté entière apprend ainsi à désobéir à son roi, portant atteinte à la crédibilité de la monarchie. Par ailleurs la constitution de la Ligue d'Augsbourg est favorisée par la réaction de rejet provoquée par la Révocation. En France même, certains catholiques aident des protestants ou refusent de les dénoncer désavouant ainsi, de fait, la complicité de leur Eglise avec la répression. L'époque du renouveau catholique finit en 1685. Celle de l'anticléricalisme va bientôt commencer.

La résistance protestante est le fait d'une Eglise sans clerc. De jeunes prophètes et prophétesses (comme Isabeau Vincent), des prédicants se lèvent. En 1702, la révolte des Camisards éclate dans les Cévennes. Cette guérilla religieuse, menée par des chefs populaires comme Mazel, Marion, Roland et surtout Jean Cavalier, va mettre partiellement en échec l'armée royale. Evénement symbolique, le 21 août 1715, juste avant la mort de Louis XIV, se tient le premier synode de l'Eglise clandestine.

La reconstitution, en trente ans, des Eglises réformées du Midi et de l'Ouest est principalement l'œuvre d'Antoine Court (1695-1760). Elle s'effectue contre l'illuminisme des Camisards (dont plusieurs, réfugiés à Londres, continuent de prophétiser, provoquant de vives réactions). Malgré certaines tensions avec le Refuge, elle bénéficie de l'aide de la Suisse et notamment du Séminaire de Lausanne qui forme des pasteurs (dont beaucoup seront exécutés une fois revenus en France). En dépit d'un *Edit* de 1724, qui réitère et même aggrave les dispositions de la Révocation, des cultes ont lieu dans des endroits écartés (le « Désert »). Ils sont fréquentés par le peuple, peu par la bourgeoisie qui s'en tient, alors, au culte de famille.

Périodes de semi-tolérance et moments de vive répression alternent jusqu'à la seconde moitié du XVIIIᵉ siècle. L'obstination de Marie Durand et de ses compagnes enfermées, pendant plusieurs décennies, à la Tour de Constance d'Aigues-Mortes et le supplice du négociant Jean Calas, en 1762 (qui entraîne la protestation de Voltaire), restent aujourd'hui encore, dans la mémoire protestante, les symboles de cette résistance.

CHAPITRE V

DES LUMIÈRES AUX RÉVEILS

Aux difficultés amenées par son propre « établissement » et par le renouveau catholique, succèdent, pour le protestantisme, de nouveaux problèmes. Si les Lumières possèdent un enracinement partiellement protestant, elles ont tendance à refuser toute objectivité religieuse et à aboutir à une marginalisation culturelle des réalités ecclésiales. Dans ce nouveau contexte, des philosophes et des théologiens d'origine piétiste tentent de redéfinir la religion, voire de lui redonner une pertinence. Et, de leur côté, des mouvements de Réveil cherchent à manifester, de façon renouvelée, la vitalité protestante.

Protestantisme, Lumières
et néo-piétisme

Les Lumières ne revêtent pas tout à fait la même signification en pays catholiques et en pays protestants. En France, par exemple, teintées d'un anticléricalisme virulent, elles se veulent extérieures à l'Eglise et en opposition radicale avec elle. Dans l'Europe protestante, au contraire, les Lumières (ou plus exactement l'*Aufklärung* et l'*Enlightenment*, termes qui ne sont pas totalement traduisibles par ce mot) apparaissent davantage une contestation interne de l'orthodoxie comme l'est, d'une autre façon, le piétisme. Il n'existe d'ailleurs pas, assez souvent, de coupure complète et chez le même penseur on peut trouver des caractéristiques des trois mouvements.

En Allemagne une seule et même question hante la réflexion pendant toute la période qui va de Luther à Hegel ; « celle des rapports entre la raison et la révélation » (D. Bourel). Un (semi-)rationalisme religieux va fleurir dans des universités traditionnellement orthodoxes ou à celle, piétiste, de Halle où enseignent notamment le philosophe Christian Wolf (1679-1754) et son disciple, à la fois rationaliste et mystique, Jean Salomon Semler. La proximité de la théologie et de la philosophie dans un univers où un laïque peut avoir une réflexion religieuse autorisée (ainsi Wilhelm Leibniz est un des principaux interlocuteurs protestants de Bossuet) facilite une évolution de l'orthodoxie luthérienne allemande qui devient parfois paradoxalement, selon l'expression de Chaunu, une « orthodoxie libérale ».

Selon Volkmar Reinhard, par exemple, la raison intervient pour comprendre le sens de l'Ecriture et lui reconnaître son caractère divin ; elle se soumet pour accepter les doctrines qui s'y trouvent contenues. D'autres, au contraire, mettent en cause certains livres bibliques. D'autres, enfin, en arrivent à une position déiste, reprise unilatérale du théocentrisme de la Réforme.

Les Provinces-Unies des années 1680 constituent un des berceaux des Lumières. On y trouve alors le huguenot Pierre Bayle (1647-1706) fuyant les persécutions de Louis XIV et John Locke (1632-1704) ayant choisi l'exil en ce temps de restauration des Stuarts. Ce sont deux théoriciens de la tolérance. Le plaidoyer obstiné de Bayle se fonde sur les devoirs des individus, dont le premier consiste à être fidèle, dans ses actes, aux ordres de sa conscience, siège de la relation avec Dieu. Locke par contre, quand il publie sa *Lettre sur la tolérance* (1689) à son retour en Angleterre, se fonde davantage sur les droits imprescrip-

tibles de l'individu. Le fidéisme abrupt de Bayle l'oppose aux premiers déistes. L'empirisme de Locke
veut concilier l'expérience des sens, la lumière de la
raison et le secours de la révélation.

Les Provinces-Unies constituent également un lieu
privilégié du Refuge huguenot. La deuxième génération du Refuge — composée de ceux qui sont
partis enfants — se trouvent détachée des liens qui
enserraient l'homme classique et contrainte à user de
son savoir pour gagner sa vie. C'est un milieu où
émergent des écrivains, des journalistes, et aussi des
traducteurs, des compilateurs, des adaptateurs. Ils
se montrent volontiers critiques, relativistes, voire
narquois. Une partie des textes de l'*Encyclopédie* est,
en fait, une paraphrase d'écrits de huguenots du
Refuge qui diffusent ce que l'Europe protestante a
produit d'important en matière de droit, de science
et de philosophie.

Mais si l'*Encyclopédie* et les Lumières en général
sont, en partie, dépendantes des courants de pensée
qui dominent l'Europe protestante de la fin du XVIIe
et du XVIIIe siècle, ces courants représentent eux-mêmes
une évolution notable, due à différents facteurs, de la
pensée protestante originelle (« les différentes sociétés
calvinistes d'Europe ne contribuèrent aux Lumières
que dans la mesure où elles acceptèrent de rompre
avec le calvinisme » (strict) a pu écrire, par exemple,
Trevor-Ropper). Par ailleurs l'enracinement des Lumières dans un autre courant qui va de l'humanisme
érasmien aux libertins du XVIIIe siècle (et comprend
aussi certaines franges de la Réforme comme le socinianisme) ne doit pas, bien sûr, être sous-estimé.

Avec les Lumières, la tolérance devient un idéal de
la vie en société. Mais un glissement s'est opéré.
L'article « Tolérance » de l'*Encyclopédie*, rédigé par
le pasteur genevois Jean Edmé Romilli, délimite la

sphère de l'Etat (la conservation de la vie, de la tranquillité, des possessions et des privilèges) et celle de l'Eglise (la perfection de l'être humain et le salut de son âme). Il aurait pu être signé par des anabaptistes, des congrégationalistes du XVIᵉ siècle et plus généralement par des indépendants au XVIIᵉ siècle. Mais, pour cette aile du protestantisme, la distinction des domaines de l'Etat et de l'Eglise doit entraîner une tolérance religieuse dans la société civile, sans amener le laxisme ou le pluralisme interne de l'Eglise. Au contraire puisque, dans leurs doctrines, l'Eglise est constituée de volontaires « régénérés ».

A partir du XVIIIᵉ siècle trois positions types sur la tolérance vont coexister... Celle — progressivement marginalisée — des « sectes » (1) protestantes (nous venons de l'énoncer). Une seconde conception de la tolérance provient d'une critique interne du luthéranisme et du calvinisme ; elle insiste sur une conception universaliste du salut (il est offert à tous les êtres humains) et va se montrer de plus en plus favorable à un pluralisme théologique à l'intérieur de chaque Eglise. Une troisième, spécifique au courant déiste voire anticlérical des Lumières, prône une certaine indifférence pour le contenu doctrinal des différentes confessions religieuses. Il lui semble une source de divisions inutiles ou même de luttes néfastes.

Une société tolérante et, par définition, incompétente en matière de dogmes adopte, pour elle-même, cette troisième position, sans l'imposer à ses membres. Mais comme la vie individuelle se déroule toujours dans un certain climat social, les pressions de la société de chrétienté en faveur de telle ou telle religion se retrouvent progressivement remplacées par l'atmo-

(1) Au sens sociologique — c'est-à-dire neutre — de ce terme.

sphère implicite de la société sécularisée favorisant un certain détachement religieux.

Dans tout un courant des Lumières, la tolérance apparaît donc liée à la recherche d'une religiosité universelle où Dieu tend à se confondre avec les lois de la nature et où compte surtout, finalement, l'attitude morale. Car longtemps encore la plupart des penseurs et philosophes, y compris en France, ne se voudront pas athées ou même agnostiques. Plusieurs témoignent de la sympathie pour l'unitarisme, dont nous pouvons trouver les prémices dans le socinianisme puis dans certaines communautés congrégationalistes (en rupture avec la tendance majoritaire) de l'Angleterre lors de la première Révolution et de l'Amérique anglaise à la fin du XVII siècle. C'est en 1773, cependant, qu'est fondée à Londres la première Eglise spécifiquement unitarienne. Avec Joseph Priestley (1733-1804), notamment, l'unitarisme se réclame de l'Ecriture et l'interprète de façon rationaliste et optimiste, rejetant la doctrine trinitaire et le dogme de la chute.

Typique du climat de ce temps est également la construction de la Maçonnerie moderne dont la date de naissance est la création de la Grande Loge de Londres en 1717. Cette Maçonnerie est marquée par le protestantisme. Elle ne veut pas créer une nouvelle religion, mais dépasser les querelles du XVII siècle. Elle comporte un large éventail d'appartenances religieuses allant des calvinistes orthodoxes — comme le pasteur écossais James Anderson (1680-1739) qui publie, en 1723, les célèbres Constitutions, longtemps charte fondamentale de la Maçonnerie — aux catholiques (la condamnation du pape intervient en 1738) et aux non-chrétiens. Les premiers rôles sont souvent tenus par des protestants de tendance arminienne comme le pasteur anglican (descendant d'un huguenot) Jean-Théophile Désaguliers. La Maçonnerie est un lieu de débat, voire de conciliation entre les remises en cause opérées par les Lumières et les pratiques chrétiennes. Elle favorise l'accès à de nouveaux cadres culturels de catégories sociales comme des négociants, des entrepreneurs, des gens de boutique et d'artisanat.

Mais les Lumières sont aussi constituées par des courants qui sont souvent regroupés sous le terme d'illuminisme. A partir du terreau du piétisme suédois, le théosophe Emmanuel Swedenborg (1688-1772) s'estime élu par Dieu pour interpréter le sens intérieur et spirituel des Ecritures et décrire le sort futur des âmes. L'occultisme attire, de son côté, certains esprits comme le pasteur de Zurich Jean Gaspar Lavater (1741-1801). Des loges mystiques se développent dans les pays de langues allemandes.

Bien différent est le néo-piétisme qui, en préservant une part de l'acquis de la critique rationaliste, débouche sur une expérience de l'élan vers Dieu. Il faut parler, ici, du protestantisme de Jean-Jacques Rousseau (1712-1778) malgré son passage temporaire dans le catholicisme et ses démêlés avec les pasteurs suisses.

Ses théories politiques s'enracinent dans la tradition contractualiste illustrée par Théodore de Bèze et d'autres auteurs calvinistes des xvie et xviie siècles. Il est significatif que *De l'origine des causes de l'inégalité parmi les hommes* soit dédié au magistrat de Genève, ville dont la constitution est, selon Rousseau, la meilleure possible.

La théologie de Rousseau refuse tout magistère ecclésiastique et met l'accent sur le rapport à Dieu en dehors de toute médiation. *La profession de foi du vicaire savoyard*, la *Lettre à Mgr de Beaumont* et les *Lettres de la montagne* (qui revendiquent, contre le protestantisme du temps, les principes originels de la Réforme) sont marqués par une totale liberté d'examen et aussi par l'affirmation de la « sainteté de l'Evangile ». Coup d'arrêt à la religion naturelle, ils contiennent cette déclaration qui scandalisa Voltaire : « Si la vie et la mort de Socrate sont d'un sage, la vie et la mort de Jésus sont d'un Dieu. » La religion de Rousseau annonce Kant par son exigence d'universalité morale et ouvre la voie à la religiosité romantique en recherchant un Dieu sensible au cœur.

Elevé dans un milieu piétiste, Emmanuel Kant (1724-1804) va avoir l'influence considérable que l'on sait dans la pensée protestante et en dehors d'elle. De ses études en théologie, il retient la volonté de ses maîtres — des disciples de Wolf — de concilier le piétisme et le rationalisme philosophique. Comment ne pas voir, d'ailleurs, une marque de cette ambition dans sa condamnation de toute démonstration de l'existence de Dieu et dans l'affirmation conjointe que Dieu, la liberté, l'immortalité, inatteignables par la raison théorique, sont nécessaires à la conscience morale ?

Kant a toujours considéré qu'après s'être posé les deux questions « que puis-je connaître ? » et « que dois-je faire ? » il lui faudrait se demander : « que m'est-il permis d'espérer ? », question qui appartient davantage à la culture luthéro-piétiste qu'à la tradition philosophique *stricto sensu. La religion dans les limites de la simple raison* adopte le plan même du Credo en remplaçant le premier article par un développement sur le mal. Le contenu de l'espérance est rien moins que l'établissement du Royaume de Dieu. Les éléments historiques et relatifs que comportent les Eglises seront écartés au profit de la « pure religion du Christ » conçue selon l'esprit de ce temps.

Friedrich Schleiermacher (1768-1834) va être le grand théologien protestant, venant après Kant dont il garde l'interdit mis sur les spéculations métaphysiques. Ses *Discours sur la religion* (1799), apologie du christianisme auprès des intellectuels qui s'en sont détachés, ont tout de suite un impact considérable. Prédicateur, professeur de théologie et membre de l'Académie des Sciences de Berlin, il publie notamment la *Brève exposition du système théologique* (1811) et la *Foi chrétienne d'après les principes de la Réforme* (1821).

Schleiermacher, imprégné de la piété des Frères moraves, considère la religion comme intuition de l'Univers, contemplation, piété, présence de Dieu. Sa racine est le sentiment d'absolue dépendance dont l'origine n'est pas la subjectivité humaine mais Dieu, centre de l'existence authentique. Christ se distingue du reste de l'humanité par l'intensité de sa conscience de Dieu, l'exemple parfait de la dépendance. L'action du Christ produit la nouvelle naissance et la sanctification.

En partant de l'expérience religieuse (pour donner au christianisme un fondement empirique objectif), Schleiermacher reprend en fait, à sa manière, les grands thèmes de la dogmatique tout en insistant aussi sur la portée pratique de la théologie. Il se veut, d'autre part, théologien engagé dans les combats de son temps et notamment un artisan de l'Allemagne nouvelle, après l'invasion napoléonienne. Orateur patriotique, il œuvre également pour l'unité entre luthériens et réformés en Prusse.

Avec Schleiermacher la théologie protestante s'engage résolument dans une entreprise de reconstruction qui tient compte de la sécularisation intellectuelle. L'être humain, exalté par la philosophie des Lumières, est replacé dans des limites de créature, dans une dépendance à l'égard d'un Autre. Plusieurs courants protestants vont lire Schleiermacher et voir leur piété, leur théologie influencées par son optique.

Les Réveils du XVIIIe siècle

Le terme de Réveil provient de l'expression anglaise *revival of religion*, employée à partir du XVIIIe siècle. Les revivalistes cherchent à atteindre deux milieux différents : les chrétiens dont l'intensité de la vie spirituelle s'est affaiblie et les milieux plus ou ou moins déchristianisés, qui échappent à l'influence des organisations ecclésiastiques.

On a parfois exagéré l'affaiblissement des convictions religieuses en Grande-Bretagne au XVIIIe siècle. Mais il reste exact qu'une certaine apathie s'est alors répandue dans l'Eglise d'Angleterre et a même atteint les milieux non conformistes. Si l'influence du déisme apparaît limitée, le latudinarisme respecte les dogmes essentiels mais en insistant sur un christianisme facteur de bonne moralité plus que source de convictions ferventes. Il réagit ainsi contre les ardeurs du puritanisme et l'intolérance de l'Eglise d'Angleterre lors de la restauration. Au même moment, par l'action notamment de non-conformistes presbytériens (comme James Watt), baptistes et quakers, commence une insensible révolution industrielle qui entraîne une prolétarisation d'habitants des campagnes. Ceux-ci vont peupler des taudis de cités nouvelles, minières ou manufacturières, lieux où l'on ne trouve guère de présence des Eglises.

Le Réveil commence à se manifester au milieu des années 30 avec Howell Harris (1714-1773), un laïque, qui prêche chez des particuliers dans le pays de Galles et surtout avec Georges Whitefield (1714-1770), pasteur anglican qui commence une carrière de prédicateur itinérant. Au même moment, d'ailleurs, dans l'Amérique anglaise débute le « Grand Réveil » (dont nous allons reparler) avec Jonathan Edwards (1703-1758).

Orateur à l'éloquence passionnée, Whitefield a l'idée, au début de 1739, de prêcher, du haut d'un terril, à des mineurs. Très vite l'auditoire atteint plusieurs milliers de personnes. Durant cette année-là environ 500 prêches en plein air ont lieu dans la région de Bristol et à Londres sous l'impulsion de Whitefield et de John Wesley.

Wesley (1703-1791), après avoir dirigé un cercle d'étudiants pieux à Oxford fondé par son frère Charles (1707-1788), fréquente la communauté morave à Londres et, au cours de leurs réunions, le 24 mai 1738, il a l'intime assurance que ses péchés lui sont remis et sent « son cœur s'échauffer étrangement » (expérience du salut, dont l'influence piétiste est indéniable et qui va devenir un modèle de la conversion revivaliste). Bien qu'attaché « au décorum et à l'ordre » (il est anglican haute Eglise et tory), il accepte les audaces de Whitefield (prédication en plein air et recrutement de prédicateurs laïques) et va structurer le Réveil.

Le Réveil ne cherche pas à se séparer des Eglises, il veut leur donner un souffle nouveau. Ses prédicateurs prêchent dans les temples chaque fois que la chaire leur est offerte. Mais la place du marché et le terrain communal sont le plus souvent choisis, passant outre aux réserves des pasteurs officiels, et à partir de juillet 1739 les assemblées sont marquées par des phénomènes de prostration physique, de larmes, de cris de douleur ou de joie, de frémissements convulsifs. La hiérarchie anglicane y trouve un motif supplémentaire d'hostilité. Les milieux distingués seront cependant atteints, notamment par des femmes. Lady Huntington donne un appui efficace au mouvement et protège ses prédicateurs, Lady Maxwell contribue fortement à l'introduire en Ecosse. Comme dans l'aile gauche du puritanisme et dans le piétisme, le Réveil va favoriser une certaine promotion féminine : des femmes fonderont des écoles, prêcheront, commenteront l'Ecriture.

Le Réveil se propage également en multipliant les brochures, et en inaugurant un nouveau mode d'expression : le magazine religieux. Son hymnologie va jouer, jusqu'au XXe siècle, un grand rôle d'enseignement populaire des vérités évangéliques et de manifestation de la joie de la vie chrétienne. Dès les débuts les revivalistes vont être appelés « évangéliques » ou « méthodistes ». En fait ces termes prennent progressivement des sens différents.

Le terme « évangélique » avait tendance à désigner au XVIe siècle l'ensemble des partisans des idées nouvelles et dans le monde germanique, aujourd'hui encore *evangelisch* est, en gros, un synonyme de protestant. Dans les pays anglo-saxons *evangelical* désigne l'ensemble des gens (des anglicans pieux aux non-conformistes) issus du Réveil et qui se considèrent comme « régénérés ». Il introduit donc une distinction interne au protestantisme. Les « évangéliques » combattent le manque de ferveur et les tendances rationalisantes au sein du protestantisme. Au XIXe et XXe siècles, ils contesteront le libéralisme théologique, la recherche de compromis théologiques avec la sécularisation.

Le méthodisme devient peu à peu une partie du Réveil qui, sous l'influence de Wesley et sans que ce dernier le recherche, s'organise en Eglise particulière, nouvelle dénomination protestante.

D'abord un désaccord théologique survient, au sein du Réveil, entre Whitefield et Wesley. Le premier enseigne la doctrine de la prédestination tandis que le second est arminien. Ensuite Wesley organise, en 1724, à l'imitation des moraves, ses adeptes e « classes », petits groupes d'une douzaine de personnes se réunissant chaque semaine pour s'édifier mutuellement. L'année suivante il leur donne une règle commune et en 1744 a lieu la première conférence où l'on met au point des tournées de prédicateurs. Le mouvement s'institutionnalise. Il se veut une sorte de mission intérieure autonome mais, à la mort de Wesley, il est en train de devenir une organisation ecclésiastique nouvelle : le méthodisme.

La théologie méthodiste ne diffère pas, pour l'essentiel, des *Trente-neuf articles*. Mais, tout en voulant conserver l'enseignement de Luther sur la justification, elle insiste sur la sanctification intégrant la notion d'œuvre dans le concept même de foi. On peut percevoir là une certaine influence de la doctrine catholique de la sainteté. Wesley a été un lecteur de François de Sales et de certains courants mystiques catholiques continentaux. La sanctification n'est pas seulement pour lui l'accomplissement d'actions bonnes mais aussi une « disposition de l'âme » que l'on acquiert progressivement.

Il existe plusieurs analogies, voire des influences réciproques entre le Réveil anglais et le « Grand Réveil » américain *(Great Awakening)*. Edward commence à prêcher le Réveil à Northampton (Massachusetts) et dans le Connecticut. Quelques années plus tard, en 1740, Whitefield effectue une tournée en Amérique et attire des foules considérables, notamment à Boston. Le Réveil se propage de la Nouvelle-Angleterre vers le sud. Comme en Grande-Bretagne, face aux pasteurs établis, des prédicateurs itinérants sans autre garantie que leur « nouvelle naissance » prêchent avec ferveur et autorité.

Anglicans, congrégationalistes, presbytériens, baptistes, etc., se trouvent atteints par le Réveil qui relativise les distinctions ecclésiastiques et aussi sexuelles, raciales et sociales. Des femmes et des Noirs se mélangent aux hommes et aux Blancs. Des pauvres peuvent se proclamer « enfants de Dieu ». L'habit des « réveillés », noir ou bleu foncé, reprenant la sobriété puritaine, constitue un signe distinctif d'identification et une critique implicite de l'ordre social. Jeux de course, danse, boissons alcoolisées — autant de manières de vivre de la classe dirigeante — sont refusés. Pourtant des fils de famille assistent à des réunions revivalistes et sont conquis. Même les autres protestants — parfois semi-rationalistes — viennent davantage au culte.

Le Réveil favorise également les mélanges ethniques. Chaque vague d'émigration avait amené son Eglise. Maintenant congrégationalistes anglais, presbytériens écossais, luthériens allemands, etc., fréquentent les mêmes réunions. Une identité nouvelle se forge, l'identité évangélique, élément constitutif de l'identité américaine. Ce n'est pas un hasard si le conflit avec l'Angleterre éclate dans les années 60 alors que le Réveil a obtenu un grand impact. Beaucoup de fils de prédicateurs revivalistes vont devenir des porte-parole de la Révolution américaine.

Un grand pays se fonde entre 1776 et 1787 sous l'impulsion conjointe de protestants revivalistes et d'autres influencés par Locke et Montesquieu. Des motifs religieux — hostilité à l'Eglise d'Angleterre, espoirs de hâter le retour du Christ — se mêlent à des motifs économiques et politiques. La déclaration d'indépendance de la Confédération américaine affirme que, « créés égaux », les êtres humains « sont doués par le Créateur de certains droits inaliénables ». Parmi eux, se trouvent « la vie, la liberté et la recherche du bonheur ». Les gouvernements doivent garantir ces droits et leur pouvoir émane du consentement des gouvernés. Si la forme de gouvernement va à l'encontre de ce but, « le peuple a le droit de la changer ou de l'abolir et d'établir un nouveau gouvernement ». Nous retrouvons là les idées de Théodore de Bèze et de ses successeurs. Plusieurs Etats (Virginie, Pennsylvanie, Delaware, Massachusetts, etc.) rédigent des « déclarations des droits » qui préfigurent la déclaration française de 1789.

Dans la Constitution de 1787 « la méfiance des calvinistes vis-à-vis de la nature corrompue de l'homme apparaît dans ce que les pouvoirs accordés aux uns sont toujours bornés par ceux que reçoivent les autres » (C.-J. Bertrand). L'influence « aristocratique » anglicane et congrégationaliste se marque par l'instauration d'un exécutif fort et celle des presbytériens, baptistes et quakers dans les Amendements de 1791 dont le Premier proclame la liberté religieuse et la Séparation des Eglises et de l'Etat.

Expansion et évolution du Réveil au XIXe siècle

A la fin du XVIIIe siècle le Réveil britannique trouve un nouveau souffle sous l'impulsion d'un laïque William Wilberforce (1759-1833) qui se « convertit » en 1786 et affirme : « Dieu m'a confié deux tâches : faire abolir la traite des Noirs et réformer les mœurs. » « Croisades » où un vaisseau négrier est promené à travers le pays, débats parlementaires, financement par de riches évangéliques de la colonie de la Sierra Leone, destinée à servir de refuge aux esclaves libérés, amènent l'abolition de la traite en 1807. La réforme des mœurs annonce, dans un certain sens, la période victorienne. Elle se teinte de conservatisme politique (les « excès » de la Révolution française servent de repoussoir) et de réformisme social. Lord Shaftesbury (1801-1855) et ses amis luttent pour les premières lois sociales limitant le travail des enfants et des femmes. A l'exemple des Anglais, des milieux évangéliques de Prusse, de Suisse et même de France constitueront un groupe de pression en faveur de l'établissement d'une législation sociale. En Ecosse Thomas Chalmers invente des formes nouvelles de vie paroissiale adaptée aux transformations produites, à Glasgow, par la révolution industrielle.

Le méthodisme a été accusé d'avoir prêché le respect de la hiérarchie sociale. Il n'a certes pas été révolutionnaire et a su organiser une partie des couches populaires en faveur d'un ordre qui, de son côté, a respecté les libertés essentielles. Des sociétés interdénominationnelles favorisent non seulement la diffusion de la Bible et des traités religieux mais l'essor de l'enseignement (invention par un anglican et un quaker de la pédagogie novatrice dite de l'enseignement mutuel). Sous l'impulsion de grandes figures féminines — Joséphine Butler, Elisabeth Fry et Florence Nightingale —, la défense des prostituées, l'amélioration de la condition pénitentiaire et le développement de la santé constituent des préoccupations importantes. Ainsi la religion apparaît facteur de bien-être et contribue à une certaine mobilité sociale. La critique du système social va s'effectuer dans les syndicats ou dans le Parti travailliste qui recruteront beaucoup de méthodistes et de non-conformistes.

Mais le Réveil, s'il facilite des regroupements entre protestants évangéliques d'Eglises différentes, renforce aussi la pluralité des dénominations. A partir des années 1820 se créent des communautés de « Frères ». Elles veulent retrouver un sacerdoce universel radical (refus du ministère ecclésiastique) et la simplicité de l'Eglise primitive. La société se sécularisant, les traits contre-culturels sont plus marqués que dans des mouvements analogues du XVIIe siècle. Les « Frères » se scindent en « Frères étroits » — ou « darbystes » du nom de John Darby (1800-1882), le fondateur du mouvement — qui mettent des conditions très rigoureuses d'admission à la cène et en « Frères larges ». Au sein du méthodisme l'Armée du Salut commence ses campagnes d'évangélisation dans le dernier tiers du XIXe siècle. William Booth (1829-1912) et ses « soldats de Dieu » sont alors très controversés y compris chez certains évangéliques. Mais, bien au fait des techniques de communication, l'Armée du Salut développera sa présence dans les milieux populaires, tentant d'y apporter « soupe, savon, salut ».

Genève, au XVIIIe siècle, paraissait imprégnée d'idées proches des Lumières. Voltaire et d'autres philosophes citèrent en exemple cette République où, selon eux, triomphait un « christianisme raisonnable ». Au début du XIXᵉ siècle Jean-Jacques-Caton Chenevière (1783-1871) représente une tradition pré-libérale. Elle est contestée vivement par le développement du Réveil (fondation en 1831 de la Société évangélique de Genève qui fait œuvre d'évangélisation et crée, à côté de la Faculté officielle, sa propre Faculté de Théologie). Louis Gaussen (1790-1863) oppose à une lecture semi-rationalisante des écrits bibliques la doctrine de la « théopneustie » (inspiration plénière de l'Ecriture).

De Grande-Bretagne et de Suisse, le Réveil arrive en France lors de la Restauration. Les réformés français ont été meurtris par les persécutions et l'exode. Ils ne sont plus qu'environ 500 000. Après avoir obtenu un état civil régulier (1787) et avoir vécu une « lune de miel » (D. Robert) avec les révolutionnaires de 1789 (le pasteur Rabaut Saint-Etienne a été le président de la Constituante avant d'être guillotiné comme girondin), ils ont subi, comme les catholiques, les excès antichrétiens de la Terreur et, en 1815, dans le Midi, en plus les violences antiprotestantes de la Terreur blanche. Mais ils ont également ment obtenu — ainsi que les luthériens — en 1802 le statut de « culte reconnu » qui leur assure la liberté religieuse (tout en les privant, cependant, de leurs synodes) et les aide à reconstruire leurs temples.

Le Réveil constitue un élément fondamental de la restructuration du protestantisme français. Il lui apporte une théologie qui veut reprendre des thèmes issus de la Réforme et de l'héritage piétiste : corruption de l'être humain, sacrifice de Jésus-Christ satisfaisant la justice de Dieu, expression de la Parole de Dieu dans l'Ecriture, conversion du cœur et nouvelle naissance pour chaque être humain, Eglise comme assemblée des croyants. Ses principaux représentants, en France, sont Frédéric Monod (1794-1863) et son frère Adolphe (1802-1856), célèbre prédicateur.

Les revivalistes se montrent également dynamiques dans la fondation d'œuvres (éducative, sanitaire, d'aide sociale) et dans des entreprises d'évangélisation (en butte à l'hostilité gouvernementale sous le second Empire et l'Ordre moral). La bourgeoisie évangélique se veut conductrice du changement social, favorise l'instruction (le protestant François Guizot est l'auteur de la loi importante de 1833) et la promotion d'une élite ouvrière. Mais le rôle restructurateur du Réveil est parfois limité par un certain « exclusivisme », une volonté de se distinguer des protestants non revivalistes, dont certains pourtant sous l'impulsion du théologien libéral Samuel Vincent (1787-1837) font également preuve de vitalité. Par ailleurs ils implantent en France des dénominations qui ont fleuri dans le terreau anglo-saxon (méthodisme puis baptisme et assemblées de Frères).

Le grand théologien du protestantisme francophone est alors le Suisse Alexandre Vinet (1797-1847), théoricien de l'individualisme protestant. Il distingue en fait l'individualisme strict (« panthéisme social » où l'individu n'a pas plus de personnalité que « la goutte dans l'océan ») et l'individualité (« combinaison de qualités humaines qui distingue un être entre tous ses semblables »), réaction active et personnelle face à l'enracinement social. Cette théorie est liée à une théologie de la conscience. Si l'être humain n'est pas seulement la partie d'un tout mais possède un « droit inaliénable » face à la société, c'est parce qu'il se trouve en relation avec Dieu grâce à sa conscience. A partir de Romains VII, celle-ci est considérée comme un « moi » distinct du péché : en même temps, notre « moi » véritable et un autre que nous-mêmes, l'ambassadeur de Dieu dans chaque individu. Il existe chez Vinet et ses amis une dialectique entre « l'Evangile extérieur » (la Bible) et « l'Evangile intérieur » (la conscience). Cette dernière permet aussi l'établissement d'un dialogue avec les non-croyants.

Dans le monde germanique piétisme, réveil, romantisme et aussi confessionalisme luthérien forment un ensemble très diversifié, tandis qu'un autre courant, dont nous parlerons au chapitre VI, développe la critique biblique.

Le redressement national qui suit l'occupation française favorise un renouveau religieux. Des théologiens comme Klaus Harms attaquent le rationalisme et le professeur de Berlin, Auguste Neander (1789-1850), disciple de Scheiermacher se montre plus proche que son maître de l'orthodoxie, tout en valorisant une théologie du cœur. Au Wurtemberg une piété joyeuse se développe, notamment autour des activités de Jean-Christophe Blumhardt (1805-1880) qui vont jusqu'au don de guérison.

La Scandinavie connaît, elle aussi, alors, des formes diverses de renouveau religieux. En Norvège un mouvement de Réveil est conduit par un laïque d'origine paysanne Jean-Nielsen Hauge. En Suède les tendances nouvelles sont piétistes et parfois illuministes. Dans les années 1840 des « crieurs » de la repentance proclament l'imminence du jugement dernier. Vers la même époque le luthéranisme danois est renouvelé, avec difficulté, par le Réveil de Nicolas Grundtvig (1783-1872). Le rejet de tout lien entre la condition du croyant et l'ordre bourgeois imprègne la pensée de Sören Kierkegaard (1813-1855) dont on connaît l'influence intellectuelle sur la philosophie du xxᵉ siècle mais qui n'a guère été compris de son vivant.

Les Etats-Unis, depuis la guerre d'indépendance,

se trouvaient pratiquement dépourvus d'un ministère anglican. Wesley, agissant comme évêque charismatique — comportement bien protestant —, ordonna Thomas Coke. L'Eglise méthodiste épiscopale est fondée à Baltimore en 1784. Les succès rapides du méthodisme dans le Nouveau Monde s'expliquent par l'activité itinérante des ministres wesleyens et aussi par le caractère vibrant et sentimental de leur prédication.

Au tournant du XVIIIe et du XIXe siècle, le « deuxième Réveil » se propage sur la Frontière. Baptistes et méthodistes collaborent, organisant de grandes kermesses d'évangélisation : les « camps-meetings », parfois accompagnés des manifestations physiques et psychiques des *holy rollers* (saints cabrioleurs).

Jusqu'à la guerre de Sécession, le Réveil va périodiquement ressurgir, devenant une composante très importante de l'histoire américaine comme l'est, par ailleurs, la multiplicité des dénominations, très souvent elles-mêmes subdivisées en organisations autonomes selon la langue, l'ethnie ou la race, la géographie. L' « arc-en-ciel » protestant américain (E. Léonard) collabore, dans une région ou une ville, en vue de tâches sociales et éducatives, de prédications d'appel ou de réveil. Les sociétés interdénominationnelles ressemblent à leurs homologues britanniques. De fervents prédicateurs émergent, notamment Charles Finney (1792-1875), qui transportent le Réveil dans les grandes villes. Lors des années 50 New York est le centre d'un mouvement qui finit par atteindre l'ensemble du pays.

Des Eglises proprement américaines surgissent. Les mormons s'éloignent du christianisme en se fondant sur une seconde révélation reçue de Joseph Smith (1830). L'adventisme naît d'un terreau baptiste : un fermier autodidacte William Miller prédit le retour du Christ pour 1843-1844. Quand la date annoncée est passée, certains de ses adeptes retournent à leurs Eglises d'origine, d'autres continuent à rester autonomes. La branche la plus importante de leur mouvement est l'adventisme du septième jour fondé par Ellen G. White, née Harmon (1827-1915), qui affirme avoir reçu du ciel l'explication des prophéties bibliques. L'observation du repos le samedi, la dîme, la réforme sanitaire constituent, jusqu'à ce jour, des caractéristiques de l'adventisme.

Au xixe siècle la question de l'esclavage est un des grands problèmes qui agitent les Eglises américaines. Les mouvements de Réveil favorisent l'abolitionnisme prolongeant l'action plus ancienne des mennonites et des quakers. Les évangélistes de la Frontière se préoccupent des Noirs. Cependant le Sud résiste d'autant plus à l'antiesclavagisme que la production de coton fait un bond spectaculaire. Dans les années 40 des scissions s'effectuent, notamment chez les méthodistes, les baptistes et les presbytériens. Loin d'éloigner les Eglises des problèmes de société, le double mouvement de sécularisation et de laïcisation amène donc de nouvelles interférences entre le religieux et le politico-social.

Dans certaines Eglises protestantes, la campagne antiesclavagiste fut particulièrement active grâce à certaines femmes. Dès les années 1830, des sociétés antiesclavagistes féminines furent fondées, notamment à Boston (avec Maria Weston Chapman), Philadelphie et New York (où se tint en 1837 le premier congrès antiesclavagiste féminin). Des militantes de ce mouvement prirent la parole dans les églises et dénoncèrent la complicité de certains protestants dans le maintien d'une situation d'infériorité faite aux Noirs (esclaves ou libres). L'ampleur de cette prise de parole et le contenu des discours tenus ne pouvaient que déplaire. C'est pourquoi une association de pasteurs congrégationalistes combattit ce rôle public tenu par des femmes. Une controverse nouvelle s'ensuivit et en 1838, Sarah Grimké publia ses *Lettres sur l'égalité des sexes et la condition de la femme*, premier grand manifeste du féminisme protestant contemporain. Peu à peu une exégèse féministe de la Bible est entreprise (à la fin du XIXe siècle, Elisabeth Cady Standon la propage). Certaines féministes protestantes anglo-saxonnes affirment : « Prier Dieu, Elle vous exaucera ! »

Dès 1848, la Convention de Senaca Falls (New York) réclamait, d'autre part, la fin du monopole masculin à la prédication en chaire (déjà réalisée chez les Quakers et, parfois, de façon intermittente dans certains mouvements de Réveil). Cette revendication se heurtera, longtemps, à de fortes oppositions. Cependant, après la guerre de Sécession des organisations contrôlées par les femmes étaient devenues puissantes au sein de plusieurs Eglises protestantes, notamment en ce qui concerne les activités missionnaires. Leurs finances et leur influence leur permettaient d'accentuer leur pression. Celle-ci s'exerce d'abord au niveau du laïcat. Dans les années 1880, des femmes commencent à être élues déléguées d'Eglises locales ou de synodes régionaux à des conférences ou des synodes généraux, participant, par ce biais, au pouvoir ecclésiastique. Au même moment, certaines Eglises invitent des prédicatrices quakers comme Sarah Smiley. La situation progresse dès le tournant du XIXe et du XXe siècle. En Europe, c'est seulement après la guerre de 1914-1918 que de telles questions seront vraiment abordées. Peu à peu, surtout après 1950, différentes Eglises protestantes de divers continents comprendront, en leur sein, des femmes pasteurs.

Chapitre VI

LE PROTESTANTISME CONTEMPORAIN

Au XIXᵉ et au XXᵉ siècle, l'Occident de plus en plus sécularisé imprime sa marque sur le reste du monde. L'expansion mondiale du protestantisme, résultat de l'œuvre missionnaire, contraste avec certaines difficultés rencontrées, en Occident même, face aux nouvelles conditions de vie (urbanisation, industrialisation), d'univers symbolique (nouveaux rapports au temps et à l'espace) et aux nouvelles formes de pensées qui ne se préoccupent plus de « l'hypothèse de Dieu ». Par divers renouveaux, le protestantisme fait face à ce monde moderne qu'il a contribué à façonner. Avec l'œcuménisme il s'engage dans un dialogue avec d'autres confessions chrétiennes. Réussira-t-il à concilier modernité, ouverture et maintien de ses spécificités ?

L'expansion mondiale par les missions

Jusqu'à la fin du XVIIIᵉ siècle les missions avaient été peu nombreuses au sein du protestantisme. John Elliot créa, en 1649, la première véritable société missionnaire qui travailla en milieu indien d'Amérique tandis que, peu après, le mouvement piétiste faisait de l'Université de Halle un centre de préparation missionnaire. Les effets de la révolution industrielle, le second souffle de la colonisation européenne qui va chercher à exploiter des territoires en profondeur, les progrès de l'art naval, la meilleure connaissance du monde, le mythe du « bon sauvage » favorisent un changement qualitatif dans l'essor de la mission au tournant du XVIIIe et du XIXe siècle. En Europe des sociétés de missions sont créées à l'initiative de groupes protestants privés, la plupart du temps évangéliques, bénéficiant des subsides de mécènes enrichis par l'industrialisation. Peu à peu il y aura un nombre de plus en plus grand de petites contributions rassemblées lors de « dimanches de la mission » ou lors de tournées de conférences effectuées par les missionnaires eux-mêmes. En Amérique du Nord, les principales dénominations fondent chacune un « conseil de la mission ». Parmi les sociétés et les conseils les plus importants il faut citer : la Mission baptiste de Londres (1792), la Société des Missions de Londres (dite LMS interdénominationnelle, 1795), la Société des Missions de l'Eglise (dite CMS anglicane, 1799), le Conseil américain des Missions (congrégationaliste, 1810), la Société des Missions de Bâle (interdénominationnelle, 1815), la Société des Missions évangéliques de Paris (1822).

En 1900 on comptera plus de 300 sociétés et conseils missionnaires, ce qui souligne l'ampleur du travail entrepris et peut-être une trop grande dispersion. La pluralité protestante amène les missionnaires à demander aux autochtones de devenir baptistes et non presbytériens, anglicans et non congrégationalistes (ou l'inverse). Ces derniers doivent donc assumer une histoire qui n'est pas la leur. Par ailleurs, à cette date, les Etats-Unis commencent à supplanter la Grande-Bretagne, fournissant 40 % des ressources et du personnel. Ils en procureront environ les deux tiers en 1960 et certains de leurs organismes se verront accusés d' « impérialisme culturel ».

Les missionnaires ont des caractères assez divers mais il s'agit en général de personnes dynamiques et autoritaires, entreprenantes sans avoir toujours des « idées avancées ». Ils continuent la tradition du protestantisme créateur de civilisation à un moment où son influence sociale est devenue, en Occident, plus problématique. Face aux militaires, aux planteurs, aux colons divers qui cherchent à dominer les habitants des pays lointains, ils veulent apporter ce que la civilisation occidentale a, selon eux, de « meilleur » : la Bible, bien sûr, que l'on tente de traduire en langue vernaculaire (faisant ainsi, souvent, accéder cette langue à l'écrit) et aussi l'école, l'hôpital. Ce sont des hommes et des femmes-orchestres. L'infirmière est aussi maîtresse d'école ; l'instituteur, menuisier ; le médecin, prédicateur ; le pasteur, imprimeur, linguiste, parfois conseiller politique ou encore comme Maurice Leenhardt, missionnaire en Nouvelle-Calédonie, ethnologue.

Après l'abolition, en Grande-Bretagne, du trafic des esclaves, la Sierra Leone devient le pays vers lequel on détourne les navires transportant des esclaves au large de l'Afrique pour les libérer. C'est ainsi que naît un peuple dont le rôle dans la diffusion du christianisme en Afrique noire est important. A la fin du XIXe siècle les protestants africains de Sierra Leone auront envoyé dans d'autres pays, et spécialement au Niger, pasteurs et catéchistes. Des commerçants noirs contribueront également à la diffusion du protestantisme.

Pour traduire dans les faits l'abolition de la traite, des missionnaires prônent la doctrine des « trois C » : christianisme, commerce, civilisation. C'est par une initiative économique que le christianisme arrivera à détruire l'institution économique de l'esclavage. Il s'agit de remplacer les exportations d'êtres humains par des exportations de matières premières. Et de permettre le développement d'une agriculture commerciale en Afrique. Le missionnaire David Livingstone (1813-1873), adepte des « trois C », devient explorateur et géographe pour trouver des voies de communication qui permettront aux Africains d'écouler leurs produits. La CMS développe la culture du coton dans le futur Nigeria, introduit des machines et organise l'exportation. Tout cela crée des tensions avec les colons européens bien que certains organismes missionnaires aient demandé à leurs membres de ne pas attaquer publiquement l'esclavage tout en travaillant à le détruire. Et ces activités n'empêchent pas que, du point de vue des peuples d'outre-mer, missionnaires, soldats, commerçants blancs et administrateurs coloniaux forment un tout indissociable, objets de la même fascination (on adopte ensemble le christianisme et le mode de vie européen) puis, au XXe siècle, parfois, de la même réprobation.

C'est surtout en Afrique et en Océanie que des Eglises protestantes d'une certaine importance sont fondées au XIXe siècle. Dans la péninsule indienne et en Chine les efforts entrepris ne sont guère couronnés de succès. En Inde le missionnaire baptiste William Carey (1761-1834) traduit le Nouveau Testament en bengali, édifie un vaste système scolaire et exige de ses convertis l'abolition de la différenciation par caste. Il obtient aussi l'interdiction des sacrifices d'enfants et de veuves. La Compagnie des Indes tente, jusqu'à l'abolition de son monopole, de contrecarrer la mission qui, selon elle, lèse ses intérêts. Les œuvres d'éducation missionnaires, aidées par le gouvernement anglais, ne se développeront que vers 1920. En Chine, la mission est subordonnée à une pénétration

coloniale : grâce aux « traités inégaux » les missionnaires peuvent voyager à l'intérieur du pays, jouir de
l'extraterritorialité et en appeler au consul de leur
pays pour soutenir les intérêts des convertis chinois,
souvent soustraits à la juridiction de leur gouvernement.

L'Amérique latine n'est touchée réellement qu'au
XXᵉ siècle, l'évangélisation est freinée parfois, comme
en Colombie jusqu'à une date très récente, par un
manque de liberté religieuse. Deux vagues peuvent
être distinguées : une dans la première moitié de ce
siècle est notamment presbytérienne et congrégationaliste ; une autre plus récente où se développe
surtout le pentecôtisme. Des collectivités indiennes
semblent trouver, notamment, dans cette forme de
protestantisme, une possibilité d'accès à la moderni-
sation sans, pour autant, perdre complètement leur
identité culturelle.

Des efforts de regroupement et de coordination des
entreprises missionnaires aboutissent, en 1910, à une
Conférence à Edimbourg où se retrouvent des délégués
officiels de la grande majorité des missions protestantes et quelques Non-Occidentaux. En 1921 est
créé le Conseil international des Missions qui organise
des conférences à Jérusalem (1928) et à Madras
(1938). Le Conseil s'intègre en 1961 au Conseil œcuménique des Eglises (Assemblée de New Delhi). Les
missions ont alors engendré de nouvelles Eglises devenues (ou en train de devenir) autonomes.

Les changements face à la laïcisation

Le XIXᵉ siècle est marqué, en Occident, par un
double mouvement de pluralisme religieux et de laïcisation de la société.

Le développement du pluralisme religieux donne

aux minorités l'espoir de transformer à leur profit le rapport de forces. Il s'allie à une mobilité géographique qui modifie aussi les rapports confessionnels. En Angleterre la contestation de l'Eglise d'Etat amène le mouvement d'Oxford à insister sur des aspects catholicisants : les évêques ne tiennent pas leur pouvoir du roi ou du Parlement mais de la succession apostolique inaugurée par le Christ. Ce mouvement accentue les aspects spécifiques de l'anglicanisme au sein du protestantisme. La conversion de certains de ses membres (tel John Newman) au catholicisme favorise le développement de celui-ci également aidé par l'émigration venue d'Irlande. Les catholiques, 160 000 vers 1820, sont presque 1 500 000 en 1890. Aux Etats-Unis d'Amérique ils passent de 1 600 000 en 1850 à 12 000 000 en 1900, principalement à cause de l'émigration.

Le protestantisme revient plus difficilement dans les pays d'où il a été chassé peu après la Réforme. En Espagne, par exemple, il se réimplante surtout pendant les courtes périodes républicaines (1868-1874 et 1931-1936). Microminorité, il ne bénéficie de manière stable de la liberté religieuse qu'à partir de 1967. En France certains espèrent, au XIXe siècle, faire bénéficier le protestantisme de l'aspiration, issue de 1789, à une « religion de liberté ». Mais le protestant est parfois perçu comme étranger à la mentalité française (idéologie que Maurras perpétue au XXe siècle) et plus qu'une augmentation notable de son nombre, l'évolution de la société française amène l'accroissement du poids social du protestantisme, du moins pendant la première moitié de la IIIe République.

Pluralisme et liberté religieuse doivent-ils avoir pour conséquence la séparation des Eglises et de l'Etat ? Alexandre Vinet le pense et, notamment sous son influence, certains évangéliques fondent des

« Eglises libres » en Suisse, Ecosse et France dans les années 1840. Mais si, aux Etats-Unis d'Amérique, la séparation est la règle depuis 1791, dans d'autres « pays protestants » une Eglise officielle reste liée à l'Etat jusqu'à aujourd'hui. Paradoxalement l'anti-cléricalisme de la Réforme, un certain éclatement du pouvoir religieux, la consistance accordée au temporel dans la visée protestante ont amené une évolution peu conflictuelle des rapports Eglise-Etat, non suscep-tible de produire la crise qui aboutit souvent à la séparation. L'exemple type est celui de la Suède. De 1845 à 1915 diverses lois y instaurent un certain pluralisme religieux et une relative laïcisation. Avec l'archevêque d'Upsal, Nathan Söderblom (1866-1931), l'Eglise luthérienne de Suède s'organise pour faire face à cette nouvelle situation et établit de bonnes rela-tions avec la force politique montante : la social-démocratie. Aujourd'hui, malgré une nouvelle dimi-nution de son poids social depuis 1941, et plusieurs décennies de gouvernements sociaux-démocrates, cette Eglise reste toujours liée à l'Etat.

Dans les pays protestants l'évolution dans le do-maine de l'école a également été moins accentuée et conflictuelle qu'en France (1) : en Grande-Bretagne, au XIXe siècle, les adeptes de l'éducation laïque sont des protestants d'Eglises non conformistes. La loi Forster de 1870 facilite l'établissement d'écoles pri-maires de l'Etat tout en permettant aux écoles confes-sionnelles de se maintenir *(dual system)*. On sait qu'aujourd'hui le problème de la prière à l'école est posé par certains parents dans plusieurs Etats des Etats-Unis.

A ces changements sociaux correspondent des évo-lutions au sein du protestantisme. Diverses inno-

(1) Où des protestants jouent un grand rôle dans la création de l'école laïque.

vations se produisent. Toutes recherchent plus ou moins de nouveaux rôles pour les Eglises et les chrétiens.

Dès le XVIIᵉ siècle, certains exégètes protestants comme Hugo Grotius avaient tenté d'expliquer les livres bibliques en les mettant en rapport avec d'autres textes de leur époque. Leur influence s'était trouvée limitée par la montée des orthodoxies qui percevaient la Bible de façon plus intemporelle. L'oratorien (catholique donc) Richard Simon et le huguenot réfugié en Hollande Jean Leclerc sont, à la fin du siècle, les fondateurs de la critique biblique. Ensuite des esprits novateurs ont tendance à trier dans le donné biblique (Locke oppose les Evangiles aux « déviations » de Paul par exemple) ou à l'interpréter — comme Kant — d'une manière conforme à la raison morale.

Mais ce sont des adeptes de la philosophie de l'histoire, proche de Hegel, qui mènent, au XIXᵉ siècle, les contestations les plus importantes. Par la démarche historico-critique les résultats de l'exégèse biblique se veulent scientifiques. Certains seront durables comme la distinction introduite par Christian Baur (1792-1860) et l'école de Tübingen, entre deux formes antagonistes : le judéo-christianisme de Pierre et le pagano-christianisme de Paul. Leurs luttes, nous dit Baur, se terminent par un compromis qui donne naissance au christianisme historique. D'autres résultats n'évitent cependant pas toute confusion entre une démarche scientifique et les résultats provisoires — et forcément très polémiques à l'égard de croyances séculaires — d'une science à ses débuts. Ainsi la *Vie de Jésus* (1835-1836) de David Strauss qui refuse pratiquement aux récits des Evangiles toute validité autre que mythique. D'autres historiens et exégètes tenteront de dégager, par une méthode critique toujours plus approfondie, le « véritable » noyau historique du Nouveau Testament. L'impossibilité de détruire ou de fonder la valeur proprement historique de ces écrits va être constatée, en 1906, par le théologien libéral Albert Schweitzer (1875-1965), par ailleurs célèbre pour son apostolat à Lambaréné. L'Ecole des Formes développera ensuite l'idée que, plus que des documents historiques au sens moderne de ce terme, les Evangiles sont des témoignages de la foi de la première Eglise. Rudolph Bultmann (1884-1976) en fera l'application la plus radicale. Pour lui « démythologiser » le Nouveau Testament ne signifie pas le rendre plus acceptable à l'esprit moderne. C'est au contraire enlever la rationalisation du miracle et du surnaturel pour confronter l'être humain au défi et à la folie de la croix.

Les héritiers du semi-rationalisme religieux, des éléments en rupture de ban de l'orthodoxie et les tenants de la critique biblique forment une mouvance appelée le libéralisme théologique. Une piété très intériorisée, parfois quasi mystique, jointe à une insistance sur l'aspect moral de la vie chrétienne (Jésus modèle moral plus que fils de Dieu) caractérisent le libéralisme du XIXᵉ siècle. En France, des intellectuels comme George Sand ou Renan sont proches de cette tendance sans rejoindre vraiment le protestantisme. Par ailleurs certains libéraux, comme Ferdinand Buisson, évoluent vers une libre pensée spiritualiste. A un niveau ecclésiastique le débat entre évangéliques et libéraux se focalise sur la question suivante : faut-il laisser chacun totalement maître de ce qu'il croit ou ne croit pas, au risque de dissoudre le protestantisme dans un pur individualisme religieux, ou doit-on décider communautairement des grandes croyances qui constituent l'Eglise ? Le premier synode réformé autorisé (1872) adopte la seconde solution provoquant une coupure interne et, à la séparation des Eglises et de l'Etat de 1905, la création de plusieurs unions d'Eglises qui seront presque réunifiées dans l'Eglise Réformée de France, fondée en 1938 (2).

Le théologien libéral le plus important est Adolf Harnack (1851-1930). Il écrit, notamment, une *Histoire des dogmes* (1886-1889) ; il y affirme que ceux-ci constituent une progressive hellénisation où le message de Jésus s'est trouvé revêtu d'oripeaux étrangers. Selon lui *L'essence du christianisme* (1900) consiste à croire à la paternité de Dieu et à la fraternité entre les humains, fondée sur la valeur infinie de l'âme.

Le libéralisme apparaît comme la recherche d'un accompagnement théologique de l'évolution culturelle. D'autres théologies vont se placer sur des terrains différents pour relever le défi de la laïcisation.

Le pentecôtisme apparaît en 1901 à l'école biblique de Topeka avec Agnès Ozman. Le pasteur baptiste noir William J. Semour donne à ce nouveau Réveil, à partir de Los Angeles, un élan national puis international (1906).

Depuis le dernier tiers du XIXᵉ siècle, les transformations de la société américaine affectent l'ensemble de la vie religieuse. Un certain libéralisme se développe dans les Eglises du Nord tandis que le Sud et le Middle-West résistent à l'influence de la critique biblique et à la diffusion des théories évolutionnistes de Darwin. Le pentecôtisme permet de maintenir des croyances traditionnelles tout en tenant compte, à sa manière, de la nouvelle mentalité scientifique : grâce au baptême de l'Esprit, Dieu accorde visiblement ce qu'il a promis dans la Bible : des dons, une puissance qui guérit les maladies, libère des « démons », transforme la vie des gens. Dès lors la réflexion intellec-

---

(2) Total des protestants (réformés, luthériens, évangéliques) en France : près d'un million de membres et autant de sympathisants.

tuelle, scientifique, volontiers critique à l'égard de la religion est elle-même contestée par ces preuves expérimentales de l'action divine. Par ailleurs les laissés-pour-compte de l'intellectualisation (qui engendre de nouveaux clercs et un nouveau cléricalisme) peuvent prophétiser, parler en langues, et édifier la communauté. Il existe, en fait, dans les assemblées pentecôtistes un dosage entre la « liberté de l'Esprit » qui peut s'exprimer en chaque laïque et le maintien du rôle de pasteur qui empêche l'Esprit d'aller trop loin, les manifestations spontanées d'aboutir au désordre. La référence au texte biblique permet aussi de canaliser et de rendre intelligible l'effervescence charismatique.

Une seconde vague pentecôtiste se développe à partir des années 30 et une tendance pentecôtisante se crée dans certaines Eglises protestantes historiques. Par ailleurs le pentecôtisme s'organise sur le plan mondial. On sait que, depuis les années 60, une nouvelle vague pentecôtiste amène un « renouveau charismatique » qui touche aussi l'Eglise catholique.

A la fin du XIXᵉ siècle et au début du XXᵉ siècle, si un revivalisme plus classique n'est pas éteint (aux Etats-Unis des campagnes d'évangélisation sont effectuées par Dwight Moody et Billy Sunday, la minutie de l'organisation y prend de plus en plus d'importance), sa « sève s'est appauvrie », selon les termes d'un pasteur de l'époque Charles Babut. Il perd alors en grande partie sa dimension sociale, intériorisant ainsi un progressif reflux de la religion dans la sphère privée. En 1974, cependant, à la Conférence internationale de Lausanne un lien sera de nouveau établi, par des évangéliques revivalistes, entre évangélisation et engagement social.

Une attitude de défense orthodoxe semble être prédominante. En Hollande Abraham Kuyper (1837-

1920), pasteur et homme d'Etat contre-révolution-
naire défend un calvinisme strict qui aboutira à
l'Eglise re-réformée. Cette Eglise se caractérisera par
sa méfiance envers la contraception, attitude qui
tranchera nettement avec celle, très favorable, que
prendront la plupart des Eglises et institutions protestantes. En France Auguste Lecerf sera l'artisan d'un
renouveau calviniste.

Un mouvement de protestation contre le libéralisme théologique américain amène la publication,
en 1909, d'une série de brochures évangéliques intitu-
lées les *Fundamentals*. L'inspiration et l'inerrance
bibliques sont fortement affirmées, ainsi que le sacrifice expiatoire de Jésus, la réalité des peines éter-
nelles et la nécessité de la conversion personnelle.
Désormais on nommera parfois les Eglises évangéliques par le terme de « fondamentalisme » et certains
les accuseront d'être « conservatrices ». En fait il
faudrait fortement nuancer suivant les lieux, les périodes et surtout les Eglises. Pour tous ceux qui insistent sur la profession personnelle de la foi, l'Eglise
locale est la réalité ecclésiale fondamentale et elle est
autonome, même si elle cherche à coordonner son
action avec celle d'autres Eglises. Ainsi, paradoxalement, c'est dans une Eglise baptiste (le Tabernacle)
que, pour la première fois en France, une femme
exerce pleinement la charge pastorale (Mme Blo-
cher, 1929).

Aux Etats-Unis le Klan manifeste un racisme protestant, comportement qui permet de ne plus avoir à
assumer la mobilité sociale et idéologique souvent
favorisée par certains éléments du protestantisme.
On retrouvera semblable attitude chez des Blancs
d'Afrique du Sud (tandis qu'un protestantisme noir
antiraciste sera symbolisé, aux Etats-Unis, par le pas-

teur baptiste Martin Luther King, en Afrique du Sud par l'évêque anglican Desmond Tutu).

Et dès les années 1870, une nouvelle mouvance, le christianisme social, était issue du terreau évangélique. Le christianisme social se veut un *nouveau Réveil*. Il dépend aussi de tentatives théologiques cherchant à trouver une voie moyenne entre l'orthodoxie et le libéralisme et dont le représentant le plus connu fut, au XIXᵉ siècle, le théologien luthérien Albert Ritschl (1822-1889).

Dans le christianisme social s'allient évangélisation populaire et réflexion théologique. L'évangélisation populaire s'effectue dans des sortes de « maisons du peuple chrétiennes » (Settlements, Solidarités, Fraternités) à la fois lieux de culte et ensemble d'installations à but social, culturel et récréatif. La réflexion théologique insiste sur l'espérance du Royaume de Dieu. A une opposition spatiale « Eglise-monde » qui a cours chez les évangéliques, les chrétiens sociaux — et notamment Walter Rauschenbusch (1861-1918), Léonard Ragaz (1868-1945) et Wilfred Monod (1867-1943) — substituent l'idée d'un renouvellement des temps dont les chrétiens peuvent hâter ou retarder l'avènement par leur action. Le salut du monde vient de Dieu, mais tous ceux qui cherchent à réaliser la justice ici-bas exécutent sa volonté même s'ils se disent ou se croient athées.

La recherche de la preuve de la validité du christianisme (par le maintien, malgré la laïcisation, de réalisations pratiques) va de pair, donc, avec une ouverture vers le socialisme. Ouverture et affrontement parfois : ainsi le théologien Rudolph Todt (1839-1887), tout en condamnant le capitalisme, situe le talon d'Achille du socialisme dans la croyance selon laquelle c'est « l'Etat du Peuple » qui va apporter la félicité générale. Bien des chrétiens sociaux tentent de faire connaître le christianisme aux socialistes et de faire comprendre le socialisme aux Eglises. Ainsi, en France, Elie Gounelle, Paul Passy et, sous le Front populaire, André Philip cherchent une manière moderne de confronter religion et politique. En Allemagne (puis aux Etats-Unis, après son exil dû au nazisme) Paul Tillich (1886-1965) insiste sur l'importance du *kairos* ou moment historique dont le sens plein est la venue de Jésus-Christ. Aux Etats-Unis Reinhold Niebuhr (1893-1971) tente de concilier une contestation de l'humanisme optimiste et une théologie sociale qui intègre des acquis de la sociologie. C'est enfin un chrétien social (modéré), Söderblom, qui est le grand pionnier de l'œcuménisme.

Emergence de l'œcuménisme et nouveaux problèmes

Au XIXᵉ siècle, le protestantisme s'est organisé à un niveau international. En 1846 l'Alliance évangélique est fondée à Londres. Elle rassemble des évangéliques de différentes dénominations. Les Unions chrétiennes de Jeunes Gens (les célèbres YMCA) essaiment dans de nombreux pays avant que, vers la fin du siècle, leurs membres étudiants s'organisent à part dans la Fédération universelle des Etudiants chrétiens sous l'impulsion de John Mott (1865-1958). Le scoutisme est fondé, en 1907-1908, par Lord Baden-Powell (création, en France, des premières troupes d'Eclaireurs unionistes en 1911).

Sensible aux progrès des missions, au dynamisme des mouvements de jeunesse, une génération, née dans les années 1860, estime que les temps nouveaux exigent de nouvelles initiatives et lance le mouvement œcuménique.

Autorité protestante d'un pays neutre, l'archevêque

Söderblom tente, en 1917 et en 1918, de réunir une Conférence internationale manifestant l'unité spirituelle des protestants des pays belligérants de la « Grande Guerre ». Il n'y parvient pas, mais les contacts qu'il prend lui sont précieux pour lancer le mouvement œcuménique *Life and Work* (appelé en français : Mouvement du christianisme pratique). Son Assemblée constitutive réunit à Stockholm (août 1925) des représentants d'une trentaine de dénominations protestantes, ainsi que des délégués d'Eglises orthodoxes (environ 60 sur 600 participants). Elle s'interroge sur « les desseins de Dieu à l'égard de l'humanité et les devoirs qui en découlent pour l'Eglise ». Questions économiques et industrielles, questions morales et sociales, questions internationales, éducation chrétienne et méthodes de coopération et de fédération sont les principaux sujets abordés. Le message final, en partie rédigé par Wilfred Monod, est d'orientation chrétienne sociale modérée.

Deux ans plus tard, une autre Conférence œcuménique rassemble à Lausanne des protestants et certains orthodoxes, celle de « Foi et Constitution ». Elle est présidée par Charles Brent (1862-1929), évêque de l'Eglise (protestante) épiscopalienne des Etats-Unis. Comme son nom l'indique, ce sont là des problèmes de doctrines et de structures qui sont abordés.

En 1937 les Conférences d'Oxford et d'Edimbourg décident la fusion des deux mouvements œcuméniques et la création du Conseil œcuménique des Eglises. La seconde guerre mondiale retardera la tenue de son Assemblée constitutive. Elle aura finalement lieu à Amsterdam en 1948 (secrétaire général : Wilhem Visser't Hooft).

Dès le départ, Söderblom, Brent et leurs amis avaient tenté d'associer l'Eglise catholique à leur entreprise. Malgré certains contacts, Rome se montre d'abord opposé à l'œcuménisme (encyclique *Mortalium animos*, 1928). On sait que le Concile Vatican II a permis d'établir des contacts réguliers et institutionnels même si les espoirs caressés par certains protestants de voir l'Eglise catholique adhérer au COE se sont révélés jusqu'à présent illusoires.

La guerre mondiale de 1914-1918 n'a pas seulement favorisé le mouvement œcuménique en provoquant les chrétiens à des tâches nouvelles, elle a aussi contribué à l'éclosion de nouvelles théologies en sonnant le glas de beaucoup d'espérances. Sécularisation et laïcisation sont désormais, dans les pays industrialisés, des faits établis et une période de pessimisme social succède à une époque de confiance dans le progrès et les valeurs de l'Occident libéral.

Le théologien suisse Karl Barth (1886-1968) va être le chef de file de l' « école dialectique » qui comprend en outre Rudolph Bultmann, Emil Brunner et Friedrich Gogarten (ils finiront tous par prendre certaines distances avec Barth).

Trois caractéristiques constituent le « barthisme » : être une théologie de la crise, utiliser une méthode dialectique, valoriser l'Eglise.

Pour Barth, la révélation de Dieu met radicalement le monde en crise (y compris dans ses aspects religieux) : Dieu est le Tout autre, le Dieu caché. L'insistance sur cet aspect correspond à une société où la religion est socialement en déclin : Barth préfère dévaloriser la religion (pour lui, saisie humaine et pécheresse de la révélation divine) plutôt que d'avoir la nostalgie des siècles passés. Il correspond aussi à la crise des valeurs nouvelles ; puisque Dieu est le Tout autre il n'est pas compromis avec tout ce qui s'effondre : et la société de chrétienté et aussi l'optimisme de la sécularisation.

La méthode dialectique procède par chocs de propos

contradictoires qui seuls permettraient de parler de Dieu sans avoir de prise sur lui : la foi est un vide et aussi une espérance ; le jugement de Dieu s'accomplit en vue de la grâce, son « non » opposé aux œuvres humaines est également un « oui ». La dialectique permet à la théologie de la crise de ne pas idéologiser le désespoir, elle donne de la mobilité au discours : dans la crise de l'après-guerre 1914-1918, on insiste sur l'aspect caché de Dieu et sa transcendance ; mais si la société sécularisée devient plus attirante (par exemple, pendant les années de reconstruction qui suivent la guerre de 1939-1945), « l'humanité de Dieu » en Jésus-Christ peut, alors, être mise en avant. De même, face à la sécularisation de la culture, la consistance propre du christianisme est conciliée avec son ouverture à la modernité : la révélation divine et la Bible comme parole de Dieu échappent à l'investigation scientifique. La religion chrétienne et la Bible comme parole humaine sont, comme le reste de la culture, des objets d'analyse.

D'abord plutôt existentielle et influencée par Kierkegaard, la théologie de Barth aboutit à la construction d'une *Dogmatique* (de l'Eglise) (*Kirchliche Dogmatik*, 1er tome, 1932), monument de près de 10 000 pages qui tente de redonner à la théologie un rôle de science de la foi. Mais, à cause de la sécularisation, la théologie ne constitue plus un langage public. De là l'insistance des barthiens, à partir des années 30, sur la « redécouverte de l'Eglise », lieu où peut se penser — et se vivre — une foi dont la réalité et les axiomes principaux ne sont plus postulés par la société globale.

Mais le risque pris est, alors, de privilégier la spécificité chrétienne au dépens de l'ouverture vers un monde « post-chrétien ». Brunner cherche donc une approche plus « pédagogique » de l'être humain contemporain. Il tente, malgré le refus de Barth, de construire une anthropologie chrétienne. De son côté, Tillich veut percevoir les implications actuelles de la justification par la foi. Pour lui cette doctrine centrale de la Réforme n'est plus la réponse à la crainte de la « damnation éternelle », absente de la mentalité moderne, mais une manière de donner sens à l'angoisse existentielle, liée au vide, au sentiment d'absurdité de la vie. Ainsi, de plusieurs manières, la théologie protestante cherche à faire face à sa nouvelle situation culturelle.

De même la situation des Eglises dans la société a changé. En Allemagne, après la défaite de 1918, un régime de séparation est instauré. Les Eglises de Länder cessent d'être des Eglises d'Etats et s'administrent elles-mêmes, gérant en particulier l' « impôt ecclésiastique ». Mais la situation globale entraîne un certain désarroi et la République de Weimar est soupçonnée par bien des protestants d'être un instrument de reconquête catholique.

A l'arrivée au pouvoir de Hitler un concordat met à l'abri l'Eglise catholique tandis que le parti des « chrétiens allemands » assure l'élection d'un partisan du nazisme, Ludwig Müller, à la tête d'une Eglise protestante unifiée. Les opposants se groupent autour du luthérien Martin Niemöller et du réformé Karl Barth (alors professeur à Bonn, il sera expulsé en 1935). Barth rédige l'essentiel de la *Déclaration de foi de Barmen* (mai 1934) qui refuse résolument toute contamination du protestantisme par le national-socialisme. Une « Eglise confessante » s'organise. Minoritaire (3) et harcelée par la Gestapo, elle connaît une existence

(3) Les déclarations officielles du protestantisme allemand sont contaminées par l'idéologie nazie, mais les travaux dirigés par G. Brakelmann montrent qu'elles ne sont guère représentatives des prédications et des prières prononcées dans les Eglises locales. Celles-ci tentent plutôt d'apporter « l'aide de la foi » à des personnes qui vivent dans la tourmente.

précaire. Un de ses membres le plus actifs, Dietrich Bonhoeffer (1906-1945), théologien du « christianisme irréligieux », participe à un complot contre Hitler. Mais l'opposition au nazisme est aussi le fait de gens théologiquement et religieusement très divers. Ainsi près d'un tiers des Témoins de Jehovah allemands (dissidence de l'adventisme) meurent en camps de concentration.

De son côté Barth multiplie, à partir de 1938, des écrits où théologie et politique s'entremêlent de fait, pour appeler au combat antinazi. Ses *Lettres* à différentes Eglises circulent dans toute l'Europe. En France, Marc Boegner (1881-1970) proteste solennellement, à plusieurs reprises, contre l'antisémitisme de Vichy. Un nouvel organisme, la CIMADE, né des mouvements de jeunesse, s'occupe des réfugiés et des juifs persécutés. Des solidarités œcuméniques se nouent dans ce combat contre des « doctrines idolâtres ». Aux Etats-Unis, où le pacifisme avait gagné du terrain dans l'entre-deux-guerres, Reinhold Niebuhr et ses amis du groupe « Christianisme et Crise » exhortent les protestants à ne pas considérer le neutralisme et la paix comme des valeurs absolues. A Genève, le Conseil œcuménique en formation soutient le combat de l'Eglise confessante, aide les réfugiés, assure le contact entre les Eglises des territoires occupés et celles d'autres pays.

1948 représente une date charnière entre l'histoire et la période présente. C'est, nous l'avons dit, l'année de l'Assemblée constitutive du Conseil œcuménique des Eglises qui désormais va marquer de son empreinte l'ensemble de la vie du protestantisme même s'il ne regroupe pas toutes les Eglises protestantes. Sa fondation est à la fois un signe indéniable de la permanence de la vitalité protestante et une source de nouveaux problèmes.

Permanence de la vitalité protestante : la tenue d'une telle Assemblée n'a rien d'évident alors que beaucoup d'Eglises désorganisées ont, aussi, beaucoup d'autres urgences. La structure confédérale du COE permet aux Eglises de continuer leur vie autonome tout en ayant une certaine coordination à l'échelle mondiale et des dialogues réguliers. L'ensemble du processus qui a donné naissance au COE montre un protestantisme qui, atteint par la sécularisation, sait toujours changer et continuer à produire du nouveau.

Source de nouveaux problèmes : l'ouverture œcuménique qui est une des raisons d'être essentielles du COE ne risque-t-elle pas de se produire au détriment de l'ensemble protestant ? Le COE peut avoir ses laisséspour-compte : d'un côté une tendance du libéralisme théologique plus ou moins proche de l'unitarisme (il adoptera, en effet, en 1961, une déclaration trinitaire), de l'autre une tendance du courant évangélique qui, au-delà de certains reproches socio-politiques (tendance au progressisme et au tiers-mondisme), critique — pas totalement à tort d'un point de vue protestant — la conception assez institutionnelle de la recherche de l'unité du COE et son gigantisme bureaucratique (que l'on a comparé à la Curie du XVe siècle). Comment tenir ensemble la dialectique protestante entre responsabilité personnelle et communauté ecclésiale ? Le XIXe siècle a privilégié le libre examen, le XXe est assez ecclésiocentrique (même quand il prône une Eglise très engagée). Le protestantisme du XXIe siècle saura-t-il trouver une tension créatrice nouvelle entre l'individualité et l'ecclésialité ?

Cette tension pourrait être particulièrement pertinente dans une société qui, en même temps, constitue une civilisation de masse et produit de nouvelles formes d'individualisation. La culture protestante, incarnation des mots d'ordre théologiques de la Réforme, a façonné un type d'individu apte à s'engager dans l'Eglise et dans la société sans attendre le salut ni de l'une ni de l'autre, et conservant toujours une certaine distance au sein même de ses engagements et de ses relations affectives pour sauvegarder sa « relation personnelle avec Dieu ». C'est son aptitude à continuer de créer, dans un climat nouveau de laïcisation et d'œcuménisme, des « individualités » et d'actualiser ses valeurs propres qui permettra au protestantisme d'apparaître toujours porteur d'une « vocation particulière ».

Plus généralement il semble, du point de vue de l'historien, que la contribution active du protestantisme à la production historique de certains aspects de la société occidentale pose au moins deux problèmes fondamentaux à cet ensemble confessionnel :

— Quelles réponses apporter à l'agnosticisme social implicite véhiculé par la forme de rationalité propre à la société industrielle ?

— Comment, après avoir participé à l'émergence de l'Occident moderne, se renouveler pour être toujours présent et actif à une époque où certains aspects importants de cette civilisation sont à intégrer dans un monde pluriculturel ?

CONCLUSION

Est-il possible de dessiner un idéal type du protestantisme ? C'est-à-dire de sélectionner et d'accentuer quelques traits caractéristiques. Ainsi on ne dira pas de quelqu'un qu'il a deux bras et deux jambes, mais qu'il a le nez de Cyrano de Bergerac. Pouvons-nous, de manière analogue, distinguer le protestantisme d'autres phénomènes socio-religieux ?

Si une religion est fondée sur une révélation, deux problèmes surgissent : cette révélation est-elle close ? Qui l'interprète légitimement ? La Loi a constitué le premier corpus de livres sacrés du judaïsme complété ensuite par les prophètes, puis par les Ecrits. Chaque ajout devait permettre de clore. Mais le christianisme primitif ajoute le Nouveau Testament qui pour lui complète la révélation.

A supposer un consensus sur le corpus biblique, reste le problème de l'interprétation. Les Conciles œcuméniques des IVe et Ve siècles tentent de fixer l'orthodoxie légitime. Dès avant, certains Pères de l'Eglise avaient affirmé qu'il revenait à la tradition ecclésiastique de dire quelles étaient les bonnes doctrines. Face, précisément, au protestantisme, le Concile de Trente officialisera cette position au XVIe siècle en parlant des « deux sources » de la révélation : l'Ecriture et la Tradition recueillie par l'Eglise. Dans cette logique, la révélation est officiellement close (par l'Ecriture) et de fait ouverte (grâce à la Tradition et au Magistère ecclésiastique qui en est porteur). On ne s'arrête donc pas de clore. Et cela se manifestera encore au XIXe et au XXe siècle par de nouveaux dogmes.

La Réforme protestante inverse le mouvement et constitue, à son insu, une révolution copernicienne dans l'histoire du symbolique en Occident. Nous avons examiné ses trois grands mots d'ordre : « Dieu seul », « l'Ecriture seule », « la grâce seule ». Le terme qui revient et crée la rupture est l'adjectif « seul ». Il est porteur d'une différenciation structurelle, car Dieu, l'Ecriture et la grâce sont également des biens symboliques importants dans le catholicisme. Mais Luther, Calvin et les autres veulent retrouver — avec les moyens intellectuels dont ils disposent — une sorte de pureté des origines en débarrassant le christianisme des scories qui s'y seraient ajoutées de façon indue.

Le mouvement est donc inversé, il s'agit maintenant de trier, d'épurer. Et si, dans le catholicisme, on n'arrive jamais à clore, le chemin inverse du protestantisme a lui aussi son horizon inatteignable. Où, en effet, s'arrêter de façon légitime, surtout quand on conteste au magistère ecclésiastique le droit d'avoir le dernier mot ?

La Réforme se veut un retour au « pur Evangile ». En fait,

son objectif consiste à reprendre les grandes affirmations des Conciles œcuméniques, en postulant leur fidélité au donné biblique. Ceux qui veulent aller plus loin ou ailleurs : les anabaptistes, les sociniens, etc., seront alors marginalisés, combattus par le protestantisme dominant comme par le catholicisme.

L'entreprise est hautement problématique. Les Réformateurs se situeront à plusieurs reprises en deçà ou au-delà des grands Conciles. En deçà : la dépendance des Réformateurs à l'égard de certains courants de la théologie médiévale reste forte. Au-delà, car si Luther veut garder les doctrines des grands Conciles il se demande parfois s'il ne faut pas établir une sorte de principe évangélique qui permettrait de distinguer, dans la Bible, entre les textes qui annoncent la « grâce seule » et ceux qui iraient plutôt dans le sens d'une théologie des mérites. Et si Calvin se montre farouche adversaire des antitrinitaires, il s'est trouvé lui-même accusé d'être en délicatesse avec la doctrine de la Trinité.

Les Réformateurs impulsent un mouvement et cherchent à le canaliser. La Réforme entraîne des contestations qui vont dans mille et une directions. Une mise en ordre est nécessaire à la survie du mouvement. Nous avons décrit ce processus où l'événement se transforme en institutions et où surgit l'établissement du protestantisme.

En institutions au pluriel. Il n'existera pas d'Eglise protestante face à l'Eglise catholique. Dès le départ, nous l'avons dit, une divergence se manifeste concernant la Cène et plus précisément les paroles d'institution prononcées par Jésus : « Ceci est mon corps, ceci est mon sang. » Il s'agit donc d'un désaccord d'interprétation des textes. Le mot d'ordre « la Bible seule » divise les protestants au moment même où il constitue un principe commun. Or la Bible est, des trois « seuls », le seul bien symbolique empiriquement cernable (que l'on peut voir, que l'on peut toucher). « Si donc, on dispute encore sur le livre qui doit servir de règle, écrit Joseph de Maistre, que faire et que résoudre ? » Et, selon le principe de la lucidité croisée, ce grand adversaire du protestantisme écrit de fortes phrases : « Le protestantisme est le sans-culottisme de la religion, il a brisé la souveraineté pour la distribuer à la multitude. »

Cela, les protestants ne l'ont pas accompli de gaieté de cœur. La tendance dominante consistait à privilégier un ordre nouveau. Mais sa pluralité même entraîne le protestantisme dans une alternative : ou ses différentes composantes se combattent entre elles de façon aussi virulente que le catholicisme lutte contre le protestantisme — attitude suicidaire —, ou peu à peu, de façon tâtonnante, elles parviennent à trouver une façon de vivre ensemble. Les deux voies sont tentées simultanément, mais l'impression de constituer une sorte de famille protestante va peu à peu se développer. Cependant, même lorsque Eglises luthériennes et réformées persistaient dans une attitude d'exclusion mutuelle, le protestantisme a constitué un facteur de modernité. Troeltsch a montré que la société de chrétienté se trouvait mise à mal quand non pas deux mais trois Eglises prétendaient lui donner chacune ses fondements symboliques légitimes.

Au même moment, dans sa volonté d'épurer le sacré, le protestantisme a mis fin à la conception monastique et cléricale de la vie sexuelle, a rendu possibles le divorce et le remariage, et ouvert la voie à une plus grande mobilité des individus. Les dissidents de la Réforme mettent eux aussi en cause la société de chrétienté en abandonnant le système d'interaction entre autorités religieuses et autorités politiques. Leur volonté de revenir au « pur Evangile » les conduit à rompre avec la logique dite constantinienne du pouvoir chrétien.

La communauté ecclésiale est pour eux une sorte de petite contre-société qui vit à l'écart du « monde » et selon d'autres règles. Elle ne prétend pas les imposer à la société globale avec l'aide du magistrat, mais seulement les proposer selon le principe d'exemplarité (« voyez comme ils s'aiment »).

Ces dissidents sont d'abord combattus par le protestantisme dominant. Nous les considérons cependant comme des protestants, car ils constituent une composante du vaste mouvement qui veut purifier (et donc trier au lieu de globaliser), atteindre l'impossible retour à la pureté des origines. D'ailleurs, peu à peu, ils vont se trouver incorporés dans la famille protestante. Chez certains, la volonté de purifier la doctrine établie avait conduit au refus du baptême des enfants, considéré comme non biblique. Implicitement cela était porteur d'une grave mise en question de la société de chrétienté où, naturellement, chacun naissait chrétien. D'abord persécutés, les adeptes du baptême des adultes vont finir par se faire admettre comme une composante du protestantisme. C'est reconnaître un doute possible sur le fait que le baptême des enfants soit bien biblique. De la division maîtrisée naît donc la « diversité », et l'« extrême activité » qu'elle produit est une des composantes essentielles de la modernité (Renan).

Le protestantisme s'est donc, au cours des siècles, de plus en plus constitué en une pluralité d'Eglises, de mouvements : il incorpore progressivement des branches dissidentes et, d'autre part, périodiquement, des protestants estiment que, à la réflexion, la Réforme s'est arrêtée trop tôt ou que de nouvelles scories sont advenues depuis le XVIᵉ siècle. Bref, le travail de tri, de purification doit continuer ou être repris. De nouveaux mouvements de réforme naissent donc à l'intérieur du protestantisme (piétisme allemand, méthodisme anglo-saxon, etc.). Les grandes Eglises elles-mêmes sont travaillées par des courants divers et ne peuvent maintenir leur unité que par la reconnaissance d'un pluralisme interne.

Le protestantisme fait émerger dans l'histoire du monde occidental un doute fondamental sur l'origine divine de toute autorité humaine. Transgression difficile à vivre et on pourrait décrire les diverses stratégies mises en œuvre pour cicatriser cette blessure : orthodoxies confessionnelles, fondamentalisme, œcuménisme, etc. Aucune n'aboutit complètement : les orthodoxies sont moins crédibles quand elles sont plurielles, le fondamentalisme protestant est plus divers que ne le croient les médias et l'œcuménisme butte sur son incapacité à comprendre ses limites.

La transgression opérée produit des effets politiques et culturels. Le principe protestant, dans une conjoncture qui le radicalise, a comme aboutissement le meurtre légal de Charles Ier en 1649. Quand on va, là encore, colmater la brèche, ce ne pourra être qu'en inventant une autre logique où l'autorité terrestre renvoie désormais essentiellement à l'ici-bas : la monarchie constitutionnelle.

Et l'effervescence culturelle de l'inter-règne, la relative tolérance de la Hollande et l'évolution propre à l'Allemagne vont donner dans ces pays le mouvement des Lumières qui — à l'inverse de la France — constitueront une des multiples contestations internes de la religion et non une rupture vis-à-vis d'elle.

Les dissidences internes du protestantisme peuvent aussi privilégier une lecture de la Bible où l'on s'approprie la notion de « peuple élu ». Il en résulte un messianisme dont les effets sont multiples : en Amérique anglaise les spoliations infligées aux Indiens vont de pair avec l'organisation d'une vie sociale prédémocratique. Et en Afrique du Sud certains protestants, descendants de persécutés, finiront par créer un système d'apartheid, que d'autres protestants combattront. Dans certains cas, le racisme peut donc avoir une tonalité protestante. Par ailleurs, la désacralisation de l'Eglise a pu, aussi, dans des circonstances spécifiques, laisser la porte ouverte à une sacralisation du politique. Malgré le combat de l'Eglise confessante, le nazisme en est une illustration tragique, même si Hitler était d'origine catholique.

L'interdit brisé a donc joué un rôle important dans l'invention de la démocratie — l'organisation interne de plusieurs Eglises protestantes allant dans ce sens —, mais il a eu, en fait, des effets multiples dont certains sont souvent minimisés par des protestants, car ce sont des « faits désagréables » (Max Weber). Il ne faut pourtant pas les oublier quand on fait le bilan de la contribution protestante à la construction de la modernité.

En définitive, il existe, dans le protestantisme, un mouvement perpétuel entre foi en Dieu et désacralisation. Suivant les circonstances historiques, un pôle apparaît plus important que l'autre. Mais, dans la longue durée, les deux sont constitutifs du protestantisme.

BIBLIOGRAPHIE

Il n'est pas possible de donner une bibliographie approfondie en peu de place. Nous signalons ici quelques « classiques » et certains ouvrages récents dont la plupart comportent des bibliographies spécialisées.

OUVRAGES GÉNÉRAUX

J. Baubérot-J.-P. Willaime, *ABC du protestantisme*, Genève, 1990.
K. Dietrich, E. Wolf (ed.), *Die Kirche in ihrer Geschichte*, Göttingen, 1963.
P. Gisel (éd.), *Encyclopédie du protestantisme*, Paris-Genève, 1995.
E.-G. Léonard, *Histoire générale du protestantisme*, 3 t., Paris, réédit., 1985.

HISTOIRE PAR PAYS

S. E. Ahlstrom, *A Religious History of the American People*, New Haven, 1972.
J. Baubérot, P. Bolle *et al.*, *Histoire des protestants en France*, Toulouse, 1977.
O. Blanc, B. Reymond, *Catholiques et protestants dans le pays de Vaud, 1536-1986*, Genève, 1986.
H. Dubief, J. Poujol (ed.), *La France protestante*, Montpellier, 1992.
R. Marx, *Religion et société en Angleterre de la Réforme à nos jours*, Paris, 1978.
J. R. H. Moorman, *A History of the Church in England*, London, réédit., 1973.
J. Wallmann, *Kirchengeschichte Deutschlands*, II : *Von der Reformation bis zu Gegenwart*, Francfort, 1973.

RÉFLEXION GÉNÉRALE

Ph. Besnard, *Protestantisme et capitalisme. La controverse post-weberienne*, Paris, 1970.
Y. Bizeul, *L'identité protestante*, Paris, 1991.
S. Bruce, *A House Divided. Protestantism, Schism and Secularization*, London-New York, 1990.
J. Carbonnier, *Coligny ou les sermons imaginaires*, Paris, 1982.
J. Garrisson, *L'homme protestant*, Paris, réédit., 1986.
E.-G. Léonard, *Le protestant français*, Paris, 1953.
R. Mehl, *Traité de sociologie du protestantisme*, Neuchâtel, 1965.
E. Troeltsch, *Die Soziallehren des Christilichen Kirchen und Gruppen*, Aalen, réédit., 1965.
— *Protestantisme et modernité*, éd. franç., Paris, 1991.
M. Weber, *L'éthique protestante et l'esprit du capitalisme*, réédit., Paris, 1985.
J.-P. Willaime, *Professeur pasteur*, Genève, 1986.
— *La précarité protestante, sociologie du protestantisme contemporain*, Genève, 1992.

XVIᵉ SIÈCLE

G. Bedouelle, B. Roussel, *Le temps des Réformes et la Bible*, Paris, Beauchesne, 1989.
N. Blough (ed.), *Jésus-Christ aux marges de la Réforme*, Paris, 1992.

P. Chaunu, *Le temps des Réformes*, II : *La Réforme protestante*, Paris, réédit., 1984.
— *Eglise, culture et société. Essai sur Réforme et Contre-Réforme (1517-1620)*, Paris, réédit., 1984.
— (ed.), *L'aventure de la Réforme*, Paris-Genève, 1986.
J. Courvoisier, *De la Réforme au protestantisme*, Paris, 1977.
J. Delumeau, *Naissance et affirmation de la Réforme*, Paris, réédit., 1973.
J. Fischer (ed.), *La confession d'Augsbourg*, Paris, 1980.
J. Garrisson, *Protestants du Midi (1559-1598)*, Toulouse, 1980.
M. Lienhard, *Martin Luther, un temps, une vie, un message*, Paris-Genève, 1983.
B. Lohse, *Martin Luther. Eine Einführung in sein Leben und sein Werk*, München, réédit., 1982.
M. Péronnet (ed.), *Les Eglises et leurs institutions au XVIᵉ siècle*, Montpellier, 1978.
R. Sauzet (ed.), *Les Réformes, enracinement socio-culturel*, Paris, 1985.
R. Stauffer, *La Réforme (1517-1564)*, Paris, réédit., 1974.
— *Interprètes de la Bible. Etudes sur les Réformateurs du XVIᵉ siècle*, Paris, 1980.
B. Vogler, *Le monde germanique et helvétique à l'époque des Réformes (1517-1618)*, Paris, 1981.
F. Wendel, *Calvin*, Genève, réédit., 1985.

XVIIᵉ-XVIIIᵉ SIÈCLES

Y. Belaval, D. Bourel, *Le siècle des Lumières et la Bible*, Paris, 1986.
C.-J. Bertrand, *Le méthodisme*, Paris, 1971.
B. Cottret, *Le Christ des Lumières*, Paris, 1990.
B. Dompnier, *Le venin de l'hérésie. Image du protestantisme et combat catholique au XVIIᵉ siècle*, Paris, 1985.
Dix-huitième siècle, « Le protestantisme français en France », numéro spécial, 1985.
J. Galtier, *Protestants en Révolution*, Genève, 1989.
J. Garrisson, *L'Edit de Nantes et sa révocation*, Paris, 1985.
Ch. Hill, *Puritanism and Revolution*, London, 1958.
— *Le monde à l'envers. Les idées radicales au cours de la Révolution anglaise*, Paris, 1977.
Ph. Joutard, *La légende des Camisards*, Paris, 1977.
E. Labrousse, *Une foi, une loi, un roi. La Révocation de l'Edit de Nantes*, Paris-Genève, 1985.
M. Magdelaine, R. von Thadden (ed.), *Le Refuge huguenot*, Paris, 1985.
M. Péronnet (ed.), *Naissance et affirmation de l'idée de tolérance*, Montpellier, 1988.
— *Protestantisme et Révolution*, Montpellier, 1990.
M. Prestwich, *International Calvinism (1541-1715)*, Oxford, 1985.
E. E. Stoeffler, *The Rise of Evangelical Pietism*, Leyde, 1965.
— *German Pietism during the Eighteenth Century*, Leyde, 1973.
Theologische Realenzyklopädie, Aufklärung, Berlin, 1976.
H. R. Trevor-Roper, *De la Réforme aux Lumières*, Paris, 1972.
SHPF, *La Révocation de l'Edit de Nantes et le protestantisme français en 1685*, Paris, 1986.
SHPF, *Les protestants et la Révolution française*, Paris, 1989.
M. Walzer, *The Revolution of the Saints*, Cambridge (Mass.), 1965.
M. Yardeni, *Le Refuge protestant*, Paris, 1985.
L. Ziff, *Puritanism in America*, New York-London, 1973.

J.-P. Bastian, *Historia del protestantismo en America latina*, Mexico, 1990.

J. Baubérot, *Un christianisme profane ? (1899-1911)*, Paris, 1978.

— *Le retour des huguenots. La vitalité protestante XIXᵉ-XXᵉ s.*, Paris-Genève, 1985.

— *Le protestantisme doit-il mourir ?*, Paris, 1988.

C.-J. Bertrand, *Les Eglises aux Etats-Unis*, Paris, 1975.

G. Brakelmann (ed.), *Kirche im Krieg, der deutsche Protestantismus am Beginn des Zweiten Weltkriegs*, Munich, 1979.

D. Brandt-Bessire, *Aux sources de la spiritualité pentecôtiste*, Genève, 1986.

R. Campiche *et al.*, *Croire en Suisse(s)*, Lausanne, 1992.

J. Curtis, *Contemporary Protestant Thought*, New York, 1970.

A. Encrevé, *Protestants français au milieu du XIXᵉ siècle*, Paris-Genève, 1986.

— *Les protestants en France de 1800 à nos jours*, Paris, 1985.

W. R. Hutchinson, *The Modernist Impulse in American Protestantism*, London, 1982.

Itineris, *Itinéraires socialistes chrétiens (1882-1982)*, Paris-Genève, 1983.

G. M. Marsden, *Fundamentalism and American Culture*, New York, 1980.

Social Compass, Sociologie du protestantisme contemporain, vol. 32 (2-3), 1985.

— *Devenir des protestantismes en Amérique latine*, vol. 39 (3), 1992.

E. R. Norman, *Church and Society in England, 1770-1970*, Oxford, 1976.

B. Reymond, *Une Eglise à croix gammée ?*, Lausanne, 1980.

— *Théologien ou prophète ? Les francophones et Karl Barth avant 1945*, Lausanne, 1985.

D. Robert, *Les Eglises réformées en France (1800-1830)*, Paris, 1962.

— *Le protestantisme en France du XVIIIᵉ siècle à nos jours*, Paris, 1972.

R. Rouse, S. Ch. Neill, *A History of the Ecumencial Movement*, London, réédit., 1967.

SHPF, *Les protestants dans les débuts de la IIIᵉ République*, Paris, 1979.

K. Scholder, *Die Kirchen und das Dritte Reich*, Frankfurt, 1977.

D. Stoll, *Is Latin America Turning Protestant ?*, Berkeley-Los Angeles, 1990.

W. R. Ward, *Religion and Society in England 1790-1859*, London, 1972.

— *Theology, Sociology and Politics (1890-1933)*, Berne, 1979.

D. F. Wells, J. D. Woodbridge, *The Evangelicals (1925-1975)*, Nashville, 1975.

J.-P. Willaime (ed.), *Vers de nouveaux œcuménismes*, Paris, 1989.

— *L'exercice du pouvoir dans le protestantisme*, Genève, 1990.

H. Zahrnt, *Aux prises avec Dieu. La théologie protestante au XXᵉ siècle*, Paris, 1969.

On peut, notamment, consulter des ouvrages sur le protestantisme à :

— Centre protestant d'Etudes et de Documentation, 46, rue de Vaugirard, F-75006 Paris.

— Conseil œcuménique des Eglises, 150, route de Ferney, CH-1211 Genève.

— Société de l'Histoire du Protestantisme français, 54, rue des Saints-Pères, F-75007 Paris.

— Et dans les bibliothèques des facultés de théologie protestantes.

TABLE DES MATIÈRES

Imprimé en France
Imprimerie des Presses Universitaires de France
73, avenue Ronsard, 41100 Vendôme
Novembre 1998 — N° 45 772